D0612684

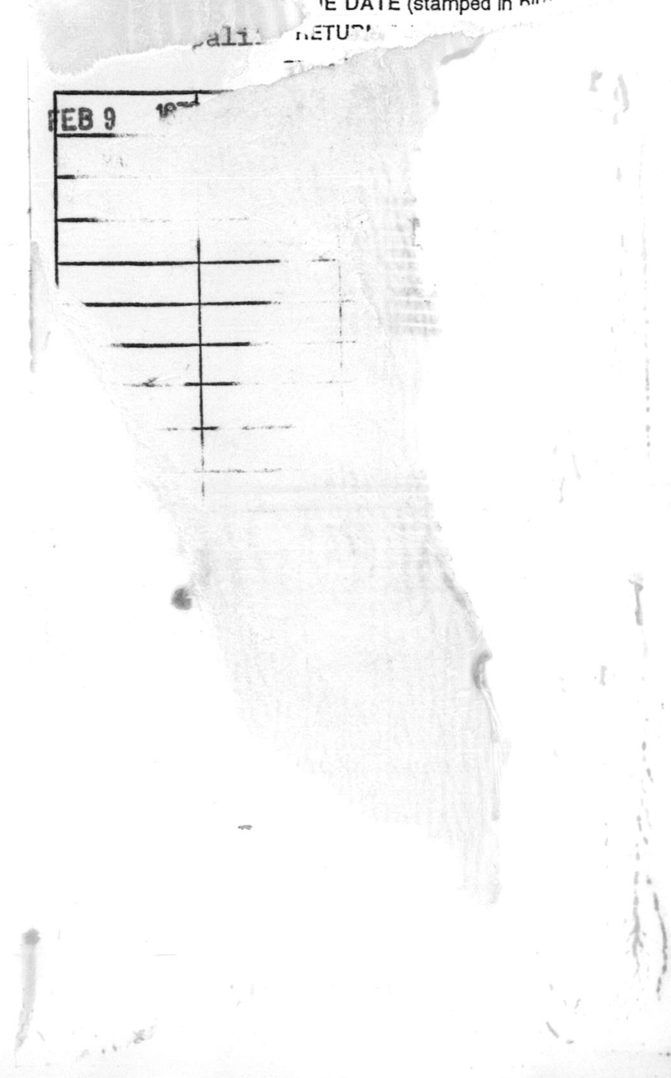

CONCHITA ARGÜELLO

Historia y Novela
Californiana

CONCHITA ARGÜELLO

Historia y Novela Californiana

por

AURELIO M. ESPINOSA
Late Professor of Romanic Languages
Stanford University

NEW YORK
THE MACMILLAN COMPANY

First Printing
The Macmillan Company, New York
Brett-Macmillan Ltd., Galt., Ontario

Printed in the United States of America

FOREWORD

The story of Concepción Argüello, the beautiful and charming daughter of the Comandante of the Presidio of San Francisco during the years 1787–1791, and 1796–1806, and of Count Rézanov, the affable and courteous Russian adventurer who visited San Francisco in the year 1806, although well known to students of California history, is little known to the general public. In the following *lecciones* I beg to offer in easy and simple Spanish a brief account of this story for elementary and intermediate Spanish classes.

Since our story is history rather than fiction, I have added very little to the known facts, most of which were recorded by Rézanov himself. In fact, I have merely added a few details that have to do with California Spanish manners, customs, and life that have been perhaps omitted by historians as insignificant, or were unknown to them.

It is a very simple story, but its simplicity is its greatest charm. Simple and almost rustic as it is, this California love story may be very properly compared to any of the great love stories of universal history and fiction. It is a drama of true, sincere, and ardent love, but not passionate and violent love. It flows like the clear and peaceful waters of a rivulet in springtime that join a larger and more turbulent stream, both finally losing their identities in the eternal ocean of death. The fidelity of Conchita Argüello conquers reality, and her human love is finally transformed into the greatest of all loves, the love of God.

England has her Romeo and Juliet, New England her Captain Miles Standish and Priscilla Alden, France her Paul et Virginie, and Spain has her Amantes de Teruel. California has her Count Rézanov and Conchita Argüello. It is California's romantic story par excellence.

AURELIO M. ESPINOSA

STANFORD UNIVERSITY, CALIFORNIA
December, 1937

CONTENTS

CONCHITA ARGÜELLO

LECCIÓN PRIMERA

La historia más hermosa de California, la más romántica y la más fascinadora, es la historia de Conchita Argüello. Es una historia novelesca, pero verdadera.

Conchita Argüello vivió en la primera mitad del siglo diecinueve, cuando California todavía conservaba en 5 pleno vigor su carácter español. Sus padres fueron don José Darío Argüello, Comandante del Presidio de San Francisco desde 1787 hasta 1806, y doña María Ignacia Moraga de Argüello. Conchita nació en la casa de sus padres en el Presidio de San Francisco el día 19 de febrero 10 de 1791, y fué bautizada el día 26 del mismo mes en la Iglesia de la Misión de San Francisco con los nombres de María de la Concepción Marcela.

Conchita Argüello pasó los primeros años de su vida en el Presidio con sus padres y hermanos. Tenía dos 15 hermanas mayores que ella y varios hermanos. Su hermano don Luis Antonio fué Gobernador de California durante los años 1822–1825. Los domingos y otros días de fiesta[1] la familia de los Argüellos asistía a la misa por la mañana en la Iglesia de la Misión. Por las tardes de 20 estos días todo el mundo se divertía, ya en el Presidio, ya en la casa de los Argüellos o en la Misión,[2] donde había algunas casas de españoles.

PREGUNTAS

1. ¿Qué es la historia de Conchita Argüello? 2. ¿Es una historia verdadera? 3. ¿Cuándo vivió Conchita Argüello?

4. ¿Qué conservaba entonces California en pleno vigor? 5. ¿Quiénes fueron los padres de Conchita? 6. ¿Dónde y en qué año nació Conchita? 7. ¿Dónde y cuándo fué bautizada? 8. ¿Con qué nombres fué bautizada? 9. ¿Dónde pasó Conchita los primeros años de su vida? 10. ¿Cuántas hermanas tenía? 11. ¿Qué hacía la familia de los Argüellos los domingos por la mañana? 12. ¿Dónde se divertía todo el mundo el domingo por la tarde?

LOCUCIONES Y MODISMOS

1. **Los domingos y otros días de fiesta,** On Sundays and other holidays (feast days).

2. **ya en el Presidio . . . o en la Misión,** both at the Presidio . . . and at the Mission.

LECCIÓN SEGUNDA

En la época cuando vivió Conchita Argüello todos los californianos hablaban español. Y todos hablaban español correctamente. Decían San José y Vallejo, pronunciando perfectamente las jotas, y no sin ellas. Era la época cuando las misiones de California eran verdaderos centros de cultura, y alrededor de ellas se desarrollaba la vida cultural y social de los españoles californianos y de los indios.

Según algunos autores California era en esta época un verdadero paraíso. Entonces no había, claro es, ni luces eléctricas, ni automóviles, ni teléfonos, pero ni falta que hacían.[1] Había velas, lámparas y farolas de aceite, carros, carretas y buenos caballos. Y en vez de hablar por teléfono [2] la gente se hablaba siempre cara a cara. De esta manera se decían menos tonterías, y se hablaba con sinceridad. En esa época no había ni cines, ni radios, pero, según nos contó hace veinte años un buen viejecito californiano de Santa Bárbara, había guitarras y violines, y muchachas bonitas con quienes bailar. Nada más aburrido para este viejecito que los bailes modernos.[3] A él le gustaba sobre todo bailar [4] las cuadrillas, el minué y el borreguito.

El borreguito era un baile parecido a la jota aragonesa, pero de ritmo más lento. Lo ejecutaban dos personas,[5] o dos parejas, y cantaban en turno. Nuestro buen viejecito de Santa Bárbara bailaba el borreguito a la perfección. Los primeros versos que cantaba eran los siguientes.

Él: ¡Qué bonito borreguito! [6]
Mi alma, dime quién te lo dió.

Ella: Éste no me lo dió nadie.
Mi dinero me costó.

PREGUNTAS

1. ¿Cómo hablaban español los californianos en la época cuando vivió Conchita Argüello? 2. ¿Cómo decían San José y Vallejo? 3. ¿Qué eran entonces las misiones? 4. ¿Qué se desarrollaba alrededor de ellas? 5. ¿Qué había en esa época en vez de luces eléctricas, automóviles, y teléfonos? 6. ¿Se dicen muchas tonterías hablando por teléfono? 7. ¿Qué había en vez de cines y radios según un buen viejecito californiano? 8. ¿De dónde era nuestro buen viejecito? 9. ¿Le gustaban a nuestro viejecito los bailes modernos? 10. ¿Qué bailes le gustaban? 11. ¿Cómo era el baile del borreguito? 12. ¿Cuántas personas lo bailaban? 13. ¿Quién lo bailaba a la perfección? 14. ¿Sabe usted bailar el borreguito? 15. ¿Cuáles son algunos de sus versos?

LOCUCIONES Y MODISMOS

1. **Entonces no había, claro es, ni luces eléctricas, ni automóviles, . . . pero ni falta que hacían,** At that time there were, of course, no electric lights, no automobiles, . . . but they were not necessary (there was no need of them).

2. **en vez de hablar por teléfono,** instead of telephoning.

3. **Nada más aburrido para este viejecito que los bailes modernos,** Nothing was more dull for this old gentleman than modern dances.

4. **A él le gustaba sobre todo bailar,** He was especially fond of dancing.

5. **Lo ejecutaban dos personas,** It was danced by two persons.

6. **¡Qué bonito borreguito!** What a pretty little lamb!

LECCIÓN TERCERA

A los quince años de edad Conchita Argüello era una de las beldades famosas de California. Según las noticias de los que la conocieron era una jovencita de mediana estatura, de cuerpo delgado, facciones finas, y porte notablemente aristocrático. Tenía la tez más bien 5 blanca que morena,[1] los ojos negros, brillantes, inteligentes y expresivos,[2] y los dientes menudos y blanquísimos. Era de carácter noble y dulce, caritativa con los pobres, bondadosa con todos, y buena cristiana. Sus padres estaban locos con ella,[3] sus hermanos la adoraban, 10 y todo el mundo la quería y hablaba bien de ella.

Conchita fué educada en la casa de sus padres por tutores particulares, como era costumbre en esa época. Aprendió a coser, a bordar, a leer y escribir, un poco de literatura española, algo de la lengua francesa, y sobre 15 todo doctrina cristiana. Sin que nadie se lo enseñara,[4] aprendió a tocar la guitarra y a cantar divinamente canciones y coplas populares. En su casa también, bailando con sus hermanos y hermanas aprendió a bailar. A los diez años de edad ya bailaba la jota aragonesa para 20 divertir a sus padres, hermanos y amigos en las fiestas que daban sus padres en el Presidio.

En los bailes oficiales del Presidio Conchita era popularísima. Siempre había en éstos más hombres que mujeres, y dichoso el pollito que sacaba a Conchita a 25 bailar [5] siquiera una vez durante el baile. Todos bailaban, jóvenes y viejos. Los oficiales y soldados del Presidio bailaban con Conchita y sus amiguitas, y también con sus mamás de ellas.

PREGUNTAS

1. ¿Qué era Conchita Argüello a los quince años de edad? 2. ¿Cómo era Conchita según las noticias de los que la conocieron? 3. ¿Tenía los ojos azules y poco expresivos? 4. ¿Cómo era su carácter? 5. ¿Con quiénes era caritativa? 6. ¿Cómo era su porte? 7. ¿Quiénes querían a Conchita? 8. ¿Quiénes estaban locos con ella? 9. ¿Dónde fué educada Conchita? 10. ¿Qué aprendió de sus tutores? 11. ¿Qué aprendió ella sola sin que nadie se lo enseñara? 12. ¿De qué manera aprendió a bailar? 13. ¿Qué bailaba a los diez años de edad? 14. ¿Dónde bailaba la jota aragonesa? 15. ¿Dónde era popularísima Conchita? 16. ¿Quién era dichoso en estos bailes? 17. ¿Con quiénes bailaban los oficiales y soldados del Presidio?

LOCUCIONES Y MODISMOS

1. **Tenía la tez más blanca que morena,** Her complexion was fair rather than dark.

2. **los ojos negros, brillantes, inteligentes y expresivos,** her eyes were dark, brilliant, intelligent and expressive.

3. **Sus padres estaban locos con ella,** Her parents loved her very, very much.

4. **Sin que nadie se lo enseñara,** Without any one teaching (it to) her.

5. **y dichoso el pollito que sacaba a Conchita a bailar,** and fortunate indeed was the young man who danced with Conchita.

LECCIÓN CUARTA

Don José Darío Argüello, el padre de Conchita, era un hidalgo español cuya familia había venido directamente de España a Nueva España en el siglo dieciocho. En Nueva España y en California la familia de los Argüellos fué una de las más bien conocidas y de las más distinguidas. 5

Don José Darío fué Comandante del Presidio de San Francisco desde 1787 hasta 1791, y desde 1796 hasta 1806. Desde 1791 hasta 1796 fué Comandante del Presidio de Monterrey. En 1806 don José Darío fué nombrado Comandante del Presidio de Santa Bárbara, y ocupó este puesto hasta el año 1814. En este mismo año murió el Gobernador de California, don José Joaquín Arrillaga, y don José Darío Argüello fué nombrado Gobernador interino, puesto que ocupó hasta la llegada del nuevo Gobernador de California en 1815, don Pablo Vicente de Sola. 10 15

Durante todos estos años, y aún por algunos años después, California pertenecía todavía a la corona de España. 20

Desde 1815 hasta 1821 don José Darío Argüello fué Gobernador de la Baja California, con residencia en Loreto. En 1822, cuando California pasó definitivamente del dominio de España al gobierno independiente de Méjico, don José Darío abandonó la vida pública y se fué a vivir a Guadalajara, Méjico, donde murió en el año 1828. Su mujer, doña María Ignacia Moraga de Argüello, murió al año siguiente. 25

Muertos sus padres en Guadalajara,[1] Conchita volvió en 1830 a California, a vivir en Santa Bárbara con la familia de un grande amigo de sus padres, don José Antonio de la Guerra, entonces Comandante del Presidio
5 de Santa Bárbara. Uno de los hermanos de Conchita, don Luis Antonio Argüello, Gobernador de California desde 1822 hasta 1825, murió el mismo año cuando ella volvió a California.

Pero ya nos vamos adelantando demasiado[2] con
10 nuestra historia. Volvamos atrás[3] unos veinticuatro años.

PREGUNTAS

1. ¿Quién era don José Darío Argüello? 2. ¿Fué poco conocida la familia de los Argüellos? 3. ¿Qué puestos ocupó don José Darío desde 1787 hasta 1806? 4. ¿Qué puesto ocupó desde 1806 hasta 1814? 5. ¿Quién murió en 1814? 6. ¿Quién fué nombrado Gobernador interino de California? 7. ¿Quién era el nuevo Gobernador? 8. ¿A qué país pertenecía California durante todos estos años? 9. ¿Por qué vivió don José Darío Argüello en Loreto desde 1815 hasta 1822? 10. ¿Qué cambio político ocurrió en California en 1822? 11. ¿Qué hizo entonces don José Darío Argüello? 12. ¿En qué año murió? 13. ¿En qué año murió su mujer? 14. ¿Qué hizo Conchita cuando murieron sus padres? 15. ¿Con qué familia vino a vivir a California? 16. ¿Quién fué don José Antonio de la Guerra? 17. ¿Quién fué Gobernador de California desde 1822 hasta 1825?

LOCUCIONES Y MODISMOS

1. **Muertos sus padres en Guadalajara,** After her parents died at Guadalajara.

2. **Pero ya nos vamos adelantando demasiado,** But we are going too far ahead.

3. **Volvamos atrás,** Let us go back.

LECCIÓN QUINTA

Es el año 1806. Estamos en California, uno de los últimos rincones de las fronteras norteñas del antiguo imperio español del Nuevo Mundo. Y California todavía pertenece a la España grande y gloriosa, la que había realizado su unidad nacional con la conquista de Granada 5 en 1492 y descubierto el Nuevo Mundo en ese mismo año, derrotado a los turcos en Lepanto en 1571, y conquistado y colonizado dos terceras partes del hemisferio occidental.

Es Gobernador de nuestra California española don 10 José Joaquín Arrillaga. Estamos en San Francisco, fundado en 1776 por el Capitán Juan Bautista de Anza, don José Joaquín Moraga, el tío materno de la madre de Conchita, y los padres misioneros Pedro Font y Francisco Palou. Es Comandante del Presidio de San Fran- 15 cisco don José Darío Argüello. Tiene quince años de edad su bellísima hija, María de la Concepción Marcela, a quien todo el mundo llama Conchita.

Hay que advertir [1] que en 1806, treinta años después de su fundación, San Francisco tiene apenas unos mil 20 quinientos habitantes. Mil de éstos, más o menos, son indios, y unos quinientos son españoles. En el Presidio, donde viven el Comandante Argüello y otros oficiales con sus familias, y que representa el dominio político de España en San Francisco, apenas hay unas doscientas 25 personas. La guarnición consiste en unos ochenta soldados y unos veinte oficiales.

A unas cinco millas al sureste del Presidio [2] se halla la famosa Misión de San Francisco de Dolores, erigida en 1776, donde viven los padres misioneros, y que representa el dominio espiritual de España en San Francisco. Alrededor de la misión hay muchas casas de indios y de españoles, con una población de unos mil indios y 5 unos trescientos españoles.

¿Qué importancia tiene para nuestra historia el año 1806? Esto lo veremos en la siguiente lección.

PREGUNTAS

1. ¿A qué nación pertenece California en el año 1806? 2. ¿Qué grandes hazañas había realizado España para ese año? 3. ¿Quién es el Gobernador de California en 1806? 4. ¿En qué año se fundó San Francisco? 5. ¿Quiénes fueron sus fundadores? 6. ¿Quién es el Comandante de San Francisco en 1806? 7. ¿Qué edad tiene su bellísima hija? 8. ¿Cómo se llama ella? 9. ¿Cuántos habitantes tiene San Francisco en 1806? 10. ¿Cuántos de ellos son españoles? 11. ¿Cuántas personas viven en el Presidio? 12. ¿Qué representa el Presidio? 13. ¿En cuántos soldados y oficiales consiste la guarnición del Presidio? 14. ¿Quiénes viven con sus familias en el Presidio? 15. ¿Dónde se halla la Misión de San Francisco de Dolores? 16. ¿Qué representa la misión? 17. ¿Qué hay alrededor de la misión? 18. ¿Cuántos españoles viven en el distrito de la misión?

LOCUCIONES Y MODISMOS

1. **Hay que advertir,** It should be observed (pointed out).

2. **A unas cinco millas al sureste del Presidio,** About five miles southeast of the Presidio.

LECCIÓN SEXTA

El día ocho de abril del año 1806 entró en la Bahía de San Francisco el buque ruso Juno, que venía de Sitka, Alaska, territorio que pertenecía entonces a Rusia. Declararon los oficiales rusos que habían querido ir directamente a Monterrey, la capital de la provincia española de California, pero que debido a vientos contrarios y necesidad de provisiones les había sido necesario [1] entrar en la Bahía de San Francisco.

Venía a mando del buque ruso un hombre de unos cuarenta años de edad,[2] de gallarda presencia, alto, buen mozo y muy simpático, que ocupaba un puesto alto en la Corte Imperial de Rusia. Este hombre era Nicolai Petrovich Rezanov (pronunciado Rézanof), o sea el Conde Rézanov.

Cuando el buque ruso llegó a San Francisco el Comandante del Presidio, don José Darío Argüello, se hallaba en Monterrey con el Gobernador Arrillaga. El Conde Rézanov y sus oficiales fueron recibidos por el Comandante interino, don Luis Antonio Argüello, hijo del Comandante, y por su madre, doña María Ignacia, con las cortesías y atenciones más cordiales. Las primeras conversaciones se hicieron en latín [3] por medio de uno de los padres misioneros y el oficial ruso Langsdorff. Después emplearon la lengua francesa que el Conde Rézanov y el Comandante hablaban perfectamente. Andando el tiempo,[4] los rusos, particularmente el Conde Rézanov, aprendieron a hablar la lengua española.

El primer día de su llegada el Conde Rézanov y algunos de sus oficiales fueron invitados a comer en la casa

del Comandante por don Luis Antonio y su madre. Entrada ya la noche,[5] los rusos se despidieron de sus amables huéspedes con mil cortesías, y se retiraron a su buque, haciéndose lenguas del hijo y de la mujer del
5 Comandante Argüello [6] y de los otros miembros de su familia.

— Muy simpáticos los rusos —[7] dijo doña María Ignacia cuando ya se habían ido.

— Sí, madre, muy simpáticos — dijo don Luis An-
10 tonio.

— Simpatiquísimos — dijo Conchita.

PREGUNTAS

1. ¿Cuándo entró en la Bahía de San Francisco el buque ruso Juno? 2. ¿De dónde venía? 3. ¿A qué país pertenecía Alaska en 1806? 4. ¿Qué declararon los oficiales rusos? 5. ¿De qué tenían necesidad? 6. ¿Quién venía a mando del buque ruso? 7. ¿Cómo era el Conde Rézanov? 8. ¿Dónde se hallaba el Comandante del Presidio de San Francisco cuando el buque ruso llegó a San Francisco? 9. ¿Quién era el Comandante del Presidio? 10. ¿Por quiénes fueron recibidos en el Presidio el Conde Rézanov y sus oficiales? 11. ¿De qué manera fueron recibidos? 12. ¿En qué lengua se hicieron las primeras conversaciones? 13. ¿Qué lengua emplearon después? 14. ¿Quiénes hablaban la lengua francesa perfectamente? 15. ¿Qué lengua aprendió el Conde Rézanov más tarde? 16. ¿Dónde comieron el Conde y algunos de sus oficiales el primer día de su llegada? 17. ¿Quiénes los habían invitado? 18. ¿Cuándo se despidieron los invitados? 19. ¿De qué se hacían lenguas? 20. ¿Quién dijo que los rusos eran muy simpáticos? 21. ¿Qué dijo Conchita?

LOCUCIONES Y MODISMOS

1. **les había sido necesario,** they had been obliged (it had been necessary for them).

2. **Venía a mando del buque ruso un hombre de unos cuarenta años de edad,** A man of about forty years of age was in command of the Russian ship.

3. **Las primeras conversaciones se hicieron en latín,** The first conversations were carried on in Latin.

4. **Andando el tiempo,** After a while (As time went on).

5. **Entrada ya la noche,** When night came.

6. **haciéndose lenguas del hijo y de la mujer del Comandante Argüello,** singing the praises of the son and of the wife of Commander Argüello.

7. **Muy simpáticos los rusos,** The Russians are very nice.

LECCIÓN SÉPTIMA

Don Luis Antonio envió mensajeros inmediatamente a Monterrey para avisarles a su padre el Comandante y al Gobernador Arrillaga de la llegada de los rusos. El Conde Rézanov, de su parte, envió saludos al gobernador, y le mandó a decir [1] que después de permanecer unos días en San Francisco iría a Monterrey a entrevistarse con él.

El día después de su llegada Rézanov y sus oficiales fueron invitados a visitar la Misión por los padres misioneros, y allí comieron con ellos.

Colmados de tantas atenciones los rusos no quisieron dar su brazo a torcer.[2] Rézanov recogió muchas joyas y otros objetos valiosos que llevaba en su buque, e hizo regalos espléndidos a todas las mujeres de los oficiales del Presidio, a todos los miembros de la familia del Comandante y a los padres misioneros. La generosidad del Conde fué inmediatamente correspondida. Los misioneros y los oficiales del Presidio le enviaron grandes cantidades de carne, trigo, harina y otras provisiones.

Esperando la contestación del Gobernador Arrillaga, que tardó muchos días en venir, Rézanov visitaba a los Argüellos todos los días. Comía a menudo con ellos, charlaba con don Luis Antonio y con otros oficiales del Presidio, y casi todas las tardes bailaba con las hijas del Comandante y con sus amigas de ellas. A la semana de bailar el borreguito [3] ya el Conde Rézanov lo bailaba como el más experto pollito californiano. La música era de violín y de guitarra, y la proveían soldados del Presidio.

De esta manera, en estas comidas y charlas de confianza en la casa del Comandante, y en estos bailes alegres por las tardes encantadoras del mes de abril, el Conde Rézanov empezó a enamorarse de Conchita, y Conchita de él.[4] 5

PREGUNTAS

1. ¿Para qué envió mensajeros don Luis Antonio a Monterrey? 2. ¿Qué mandó a decir al Gobernador Arrillaga el Conde Rézanov? 3. ¿Adónde fueron invitados Rézanov y sus oficiales el día después de su llegada? 4. ¿Fueron los rusos colmados de muchas atenciones por los españoles californianos? 5. ¿Con quiénes comieron en la Misión? 6. ¿Dieron los rusos su brazo a torcer? 7. ¿Qué objetos recogió Rézanov en su buque? 8. ¿A quiénes hizo regalos espléndidos? 9. ¿Hizo regalos también a los padres misioneros? 10. ¿Hizo un regalo a Conchita? 11. ¿De qué manera correspondieron los californianos a la generosidad de Rézanov? 12. ¿A quiénes visitaba todos los días el Conde Rézanov mientras esperaba la contestación del Gobernador Arrillaga? 13. ¿Comía con ellos? 14. ¿Con quiénes charlaba? 15. ¿Con quiénes bailaba? 16. ¿Cuándo y dónde bailaba? 17. ¿Qué baile californiano aprendió a bailar. 18. ¿Quiénes proveían la música? 19. ¿Qué clase de música era? 20. ¿De qué manera empezó el Conde Rézanov a enamorarse de Conchita, y Conchita de él?

LOCUCIONES Y MODISMOS

1. **y le mandó a decir,** and he sent word to him.

2. **no quisieron dar su brazo a torcer,** did not wish to be outdone (in generosity).

3. **A la semana de bailar el borreguito,** After dancing the borreguito for a week.

4. **el Conde Rézanov empezó a enamorarse de Conchita, y Conchita de él,** Count Resanov began to fall in love with Conchita, and Conchita began to fall in love with him.

LECCIÓN OCTAVA

Llegaron noticias de Monterrey. Mandaba a decir el Comandante Argüello a su hijo que en unos días saldrían él y el Gobernador Arrillaga camino de San Francisco, y que no había necesidad de que el Conde Rézanov fuese 5 a visitar al Gobernador a Monterrey.[1] El Gobernador, de su parte, enviaba a Rézanov los saludos más cordiales, y le anunciaba su viaje a San Francisco para hablar con él.

Cuando Rézanov supo que el Gobernador tardaría 10 todavía una semana en llegar se alegró sobre manera[2] porque ya estaba muy contento en San Francisco, y no tenía intenciones de marcharse en seguida. Conchita tampoco tenía muchas ganas de que el Conde se marchara.[3] Todos los días se veían ella y el Conde, y si 15 poco se decían con palabras, porque al principio ella apenas sabía unas cuantas palabras francesas y él otras tantas españolas, mucho se decían con las miradas, con las sonrisas, y con las mutuas atenciones y cortesías.

A las dos semanas de estar Rézanov en San Francisco[4] 20 llegaron de Monterrey el Comandante Argüello, que es, como ya sabemos, el padre de Conchita, y el Gobernador don José Joaquín Arrillaga.

La tarde de la llegada del Comandante y del Gobernador Rézanov no visitó a los Argüellos. Se había 25 quedado en su buque esperando una invitación oficial. El Comandante y el Gobernador llegaron al Presidio, donde don Luis Antonio les dió cuenta de todas las declaraciones de Rézanov[5] y de sus deseos de establecer relaciones comerciales con California. Inmediatamente le enviaron a Rézanov sus saludos, anunciándole su llegada, e invitándole a una recepción oficial en el Presidio y a una comida en la casa del Comandante para otro día.

Todo esto no dejó de molestar un poco a Rézanov,[6] que ya estaba acostumbrado a ir a la casa de los Argüellos cuando le daba la gana.[7] Pero sabía el Conde mejor que nadie que ahora no se trataba de los amorillos incipientes entre él y Conchita, sino de las relaciones oficiales entre dos naciones soberanas y no muy amigas.

PREGUNTAS

1. ¿Qué mandaba a decir el Comandante Argüello a su hijo? 2. ¿Había necesidad de que Rézanov visitara al Gobernador Arrillaga en Monterrey? 3. ¿Qué anunciaba el Gobernador a Rézanov? 4. ¿Se puso triste Rézanov cuando supo que el Comandante y el Gobernador se tardarían algunos días en llegar a San Francisco? 5. ¿Tenía intenciones de marcharse en seguida? 6. ¿Tenía Conchita ganas de que se marchara? 7. ¿Se decían mucho el Conde y Conchita con palabras? 8. ¿De qué manera se decían lo que querían? 9. ¿Cuándo llegaron a San Francisco el Comandante y el Gobernador? 10. ¿Visitó Rézanov a Conchita la tarde de la llegada del Comandante y del Gobernador? 11. ¿Dónde estaba? 12. ¿De qué les dió cuenta don Luis Antonio a su padre y al Gobernador? 13. ¿Para cuándo invitaron a Rézanov a una recepción y comida? 14. ¿Dónde iba a ser la comida? 15. ¿Por qué le molestaron un poco a Rézanov las cortesías oficiales? 16. ¿De qué se trataba ahora? 17. ¿Sabía esto el Conde? 18. ¿Eran España y Rusia naciones muy amigas a principios del siglo XIX?

LOCUCIONES Y MODISMOS

1. **y que no había necesidad de que el Conde Rézanov fuese a visitar al Gobernador a Monterrey,** and that it was not necessary for Count Rezanov to go to Monterrey to visit the Governor.

2. **se alegró sobre manera,** was very glad indeed.

3. **Conchita tampoco tenía muchas ganas de que el Conde se marchara,** Conchita also was not very anxious to have the Count leave.

4. **A las dos semanas de estar Rézanov en San Francisco,** After Rezanov had been in San Francisco two weeks.

5. **Don Luis Antonio les dió cuenta de todas las declaraciones de Rézanov,** Don Luis Antonio informed them of all of Rezanov's statements.

6. **Todo esto no dejó de molestar un poco a Rézanov,** All this annoyed Rezanov a little.

7. **cuando le daba la gana,** whenever he wished.

LECCIÓN NOVENA

Llegó Rézanov al Presidio a caballo, acompañado de sus oficiales y de dos padres misioneros. Los padres misioneros eran la escolta oficial proveída por el Comandante. Venía Rézanov temeroso de que el Gobernador rechazara todas sus pretensiones comerciales [1] porque uno de los padres misioneros le había dicho que había rumores de guerra entre España y Rusia.

Todos sus temores desaparecieron cuando, al apearse de su caballo y entrar por el patio,[2] vió que varias señoritas que estaban de pie en uno de los portales de la casa del Comandante estaban elegantemente vestidas, y hablaban y se reían unas con otras.

— Parece que vamos a bailar otra vez — dijo Rézanov a su amigo Langsdorff.

No tuvo tiempo para decir más porque ya estaban casi delante del Gobernador y del Comandante.

Después de las presentaciones oficiales y frases acostumbradas de cortesía, todos entraron en la sala principal de la casa del Comandante donde les esperaba una suntuosa comida.

Después de la comida Rézanov empezó a hablar con el Gobernador de asuntos comerciales, pero el Gobernador dijo que hablarían del asunto otro día. Insistió Rézanov, declarando que había venido a California precisamente para establecer relaciones comerciales entre Rusia y España, y el Gobernador consintió en hablar sobre el asunto por la noche, después de terminada la fiesta [3] que en su honor habían preparado el Comandante y su señora.

La comida terminó a las tres de la tarde, y entonces empezó el baile. Los músicos empezaron con un vals, y el Gobernador, aunque viejo y mal bailador, lo bailó con doña María Ignacia. El Comandante no bailó
5 porque estaba hablando con mucho entusiasmo con Rézanov en francés. Conchita tampoco bailó el vals porque estaba rogándoles a los músicos que dejaran de tocar el vals y tocaran el borreguito.[4]

Cesó la música del vals y empezó la del borreguito.
10 Lo bailaron cuatro parejas, cada dos parejas formando un grupo distinto. Rézanov bailó con Conchita, formando grupo con don Luis Antonio y su compañera. Tan bien bailó Rézanov el borreguito que el Gobernador y el Comandante se sorprendieron sobre manera.[5]

15 — ¿Dónde aprendió usted, señor Conde, a bailar el borreguito a la perfección? — preguntó el Comandante a Rézanov.

— En la casa del Comandante — contestó éste.

PREGUNTAS

1. ¿De qué manera llegó Rézanov al Presidio? 2. ¿Quiénes constituían la escolta oficial proveída por el Comandante? 3. ¿Por qué venía Rézanov temeroso de que el Gobernador rechazara todas sus pretensiones comerciales? 4. ¿Cuándo desaparecieron sus temores? 5. ¿Qué dijo Rézanov a su amigo Langsdorff cuando vió a las señoritas elegantemente vestidas? 6. ¿Por qué no tuvo tiempo para decir más? 7. ¿Dónde comieron el Gobernador, Rézanov y los otros invitados? 8. ¿De qué empezó a hablar Rézanov después de la comida? 9. ¿Cuándo dijo el Gobernador que hablarían de asuntos comerciales? 10. ¿Insistió Rézanov? 11. ¿Qué declaró? 12. ¿Consintió por fin el Gobernador? 13. ¿A qué hora terminó la comida? 14. ¿Cuándo empezó el baile? 15. ¿Con quién bailó el Gobernador? 16. ¿Quién es doña

María Ignacia? 17. ¿Por qué no bailó el Comandante? 18. ¿Por qué porfiaba Conchita con los músicos? 19. ¿Cuántas parejas bailaron el borreguito? 20. ¿Con quién bailó Rézanov? 21. ¿Qué preguntó el Comandante a Rézanov? 22. ¿Dónde había aprendido Rézanov a bailar el borreguito a la perfección?

LOCUCIONES Y MODISMOS

1. **Venía Rézanov temeroso de que el Gobernador rechazara todas sus pretensiones comerciales,** Rezanov feared that the Governor would reject all his commercial demands.

2. **al apearse de su caballo y entrar por el patio,** as he dismounted from his horse and entered the patio.

3. **después de terminada la fiesta,** after the party was over.

4. **Conchita tampoco bailó el vals porque estaba rogándoles a los músicos que dejaran de tocar el vals y tocaran el borreguito,** Conchita did not dance the waltz because she was begging the musicians to stop playing the waltz and play the borreguito.

5. **se sorprendieron sobre manera,** were very much surprised.

LECCIÓN DÉCIMA

Para la historia de Conchita Argüello no son de mucha importancia los asuntos que Rézanov discutió con el Gobernador de California en la casa del Comandante Argüello. Las entrevistas y discusiones duraron muchos días. El Gobernador había recibido órdenes oficiales del Virrey de Nueva España en las cuales le decía que de ninguna manera permitiese relaciones comerciales con Rusia.[1] Pero como Rézanov era tan grande amigo de los Argüellos, llegó a serlo también del Gobernador, y por fin el Gobernador consintió en que comprara [2] las provisiones necesarias para su viaje de vuelta a Rusia.

Antes de que todo esto se arreglara pasaron tres semanas. Y durante estas tres semanas ocurrieron muchas cosas en el Presidio, y de mucho más importancia para nuestra historia que los asuntos comerciales entre Rusia y España.

Después del día de la llegada del Gobernador a San Francisco y de la obligada invitación oficial, Rézanov siguió su vida acostumbrada, yendo todos los días a la casa del Comandante. Y cada vez que iba le contaban todo lo que el Gobernador y el Comandante habían dicho de él y de sus asuntos oficiales. Por fin el Gobernador comprendió que todo lo que pasaba en la casa del Comandante lo sabía Rézanov, y ya no le guardó más secretos.[3]

Pero Rézanov, luego que se enamoró de Conchita, se formó un plan comercial mucho más importante para él que los asuntos que discutía con el Gobernador Arrillaga. Volvería inmediatamente a Rusia a dar cuenta al Zar de la importancia de establecer relaciones comerciales entre Rusia y España. Establecidas las relaciones comerciales [4] entre los dos países, volvería él a Nueva España, de embajador tal vez, y al pasar por California se casaría con Conchita, y aquí felicidad, y después gloria.[5] Éste era el sueño de Rézanov. 5

Una hermosa tarde californiana de fines del mes de abril, paseándose con Conchita por el patio del Presidio, Rézanov le contó todo su plan, todo su sueño. Aunque no hablaba el Conde la lengua española perfectamente, Conchita comprendía todo lo que le decía. El Conde le pedía su mano. No cabía ella de alegría,[6] pero no decía nada. Para terminar, el Conde le hizo la siguiente pregunta: 10

— ¿Que no te gustaría ir a Rusia algún día? [7] 15

Ruborizándose, Conchita bajó los ojos.[8] Rézanov vió que sonreía. Por fin, Conchita abrió los labios, y contestó de la siguiente manera:

— En California hay paisajes hermosísimos, . . . un clima delicioso, . . . muchas vacas y mucho trigo, . . . y . . . nada más. 20

PREGUNTAS

1. ¿Cuántos días duraron las entrevistas entre Rézanov y el Gobernador? 2. ¿Qué le decía el Virrey de Nueva España al Gobernador de California? 3. ¿De quién era grande amigo Rézanov? 4. ¿En qué consintió por fin el Gobernador? 5. ¿Cuántas semanas pasaron antes de que se arreglara el asunto comercial? 6. ¿Qué ocurrió en el Presidio durante esas tres semanas? 7. ¿Eran cosas de importancia para nuestra historia? 8. ¿Qué siguió haciendo Rézanov después del día de la llegada del Gobernador a San Francisco? 9. ¿Qué le contaban los Argüellos cada vez que iba al Presidio? 10. ¿Qué comprendió el Gobernador por fin? 11. ¿Qué hizo

Rézanov después de que se vió enamorado de Conchita? 12. ¿Adónde volvería inmediatamente? 13. ¿Adónde volvería de Rusia? 14. ¿Por dónde pasaría en su viaje a Nueva España? 15. ¿Con quién se casaría? 16. ¿Cuándo y dónde se paseaba el Conde con Conchita? 17. ¿Qué le contó a Conchita? 18. ¿Hablaba él bien la lengua española? 19. ¿Comprendía Conchita? 20. ¿Qué le pedía el Conde? 21. ¿Qué pregunta le hizo el Conde? 22. ¿De qué manera contestó Conchita?

LOCUCIONES Y MODISMOS

1. **que de ninguna manera permitiese relaciones comerciales con Rusia,** that under no circumstances should he allow any commercial relations with Russia.

2. **consintió en que comprara,** agreed to his purchasing.

3. **y ya no le guardó secretos,** and he no longer kept anything secret from him.

4. **Establecidas las relaciones comerciales,** Commercial relations having been once established.

5. **aquí felicidad, y después gloria,** happiness in this world, and salvation in the next.

6. **No cabía ella de alegría,** She could hardly contain herself with joy.

7. **¿Que no te gustaría ir a Rusia algún día?** Would you not like to go to Russia some day?

8. **bajó los ojos,** lowered her eyes.

LECCIÓN ONCE

El primer domingo del mes de mayo, una semana después del día cuando el Conde le pidió a Conchita su blanca mano, los Argüellos dieron una fiesta especial en honor del Gobernador Arrillaga. Para entonces ya el Conde y Conchita eran novios en regla, aunque todavía faltaba avisárselo a papá y mamá.[1] Conchita había tratado de varias maneras indirectas de preparar a su madre para darle la noticia, pero doña María Ignacia no se daba o no quería darse por entendida.[2]

Por la mañana el Conde Rézanov, invitado la noche anterior, fué a misa mayor en la Misión con el Gobernador y con los Argüellos, y de allí fué con ellos al Presidio, donde todos comieron juntos. Para la tarde las hijas del Comandante habían organizado un baile, al cual habían invitado a todas las familias principales de San Francisco.

Las señoritas californianas vestían sus trajes más elegantes[3] y vistosos. Conchita vestía un traje de seda azul cielo, con corpiño ajustado y faldas de gran vuelo.[4] Llevaba una mantilla blanca con flores rojas sobre los hombros, una peina andaluza sobre la cabeza, pequeñas arracadas de oro, y zapatillas de seda negra.

Conchita y sus hermanas le presentaron al Conde algunas de sus amigas, y con todas bailaba para cumplir. Ya hacía más de una hora que había empezado el baile[5] y el Conde todavía no bailaba con Conchita. Dos veces había bailado el borreguito, pero con otras compañeras. El soldado que tocaba la guitarra, y que ya tenía barruntos de sus amores, cantó la siguiente copla popular al son de su guitarra:

Dicen que no nos queremos
porque no nos ven bailar.
A tu corazón y al mío
les debían de preguntar.[6]

Conchita no quiso darse por aludida y fué a buscar al Conde para ver si la sacaba a bailar. El Conde la sacó a bailar en seguida, y Conchita empezó a explicarle lo que había cantado el guitarrista. Pero él, riéndose, le dijo que lo había comprendido todo. Y bailando con Conchita le dijo en voz baja:

— Tiene razón el guitarrista. «A tu corazón y al mío les debían de preguntar.»

PREGUNTAS

1. ¿Cuándo dieron los Argüellos una fiesta especial? 2. ¿Por qué dieron la fiesta? 3. ¿Qué eran el Conde Rézanov y Conchita para entonces? 4. ¿A quiénes faltaba avisárselo? 5. ¿Había Conchita tratado de preparar a su madre para la noticia? 6. ¿Se daba por entendida su madre? 7. ¿Adónde fué Rézanov por la mañana? 8. ¿Dónde comieron todos? 9. ¿Para cuándo habían organizado un baile las hijas del Comandante? 10. ¿A quiénes habían invitado? 11. ¿Cómo estaban vestidas las señoritas californianas? 12. ¿Y Conchita? 13. ¿Qué llevaba sobre los hombros? 14. ¿A quiénes presentaron al Conde? 15. ¿Para qué bailó él con todas? 16. ¿Cuánto tiempo hacía que había comenzado el baile sin que el Conde bailara con Conchita? 17. ¿Cuántas veces había bailado el borreguito? 18. ¿Quién tenía ya barruntos de los amores de Conchita y el Conde? 19. ¿Qué copla cantó? 20. ¿Se dió por aludida Conchita? 21. ¿Qué hizo? 22. ¿Qué empezó a explicar Conchita cuando el Conde la sacó a bailar? 23. ¿Lo había comprendido él? 24. ¿Qué le dijo a Conchita en voz baja?

LOCUCIONES Y MODISMOS

1. **Para entonces ya el Conde y Conchita eran novios en regla, aunque todavía faltaba avisárselo a papá y mamá,** By that time the Count and Conchita were duly betrothed lovers, although father and mother had not been informed (had still to be informed).

2. **no se daba o no quería darse por entendida,** did not understand or pretended not to understand (did not wish to understand).

3. **vestían sus trajes más elegantes,** were dressed in their most beautiful clothes.

4. **y faldas de gran vuelo,** and very wide skirts.

5. **Ya hacía más de una hora que había empezado el baile,** More than an hour had passed since the dance had begun.

6. **A tu corazón y al mío les debían de preguntar,** They ought to ask your heart and mine.

LECCIÓN DOCE

Por su linaje, por su rango, y por su nobleza de carácter el Comandante Argüello, su mujer doña María Ignacia, y todos sus hijos e hijas merecían el respeto de Rézanov. Eran ya, además, sus íntimos amigos. Por estos motivos creyó que ya no debía guardarles secreto a don José Darío y a doña María Ignacia su amor a Conchita.[1] Decidió pedirles formalmente la mano de su hija.

Así lo hizo Rézanov, yendo al Presidio una mañana cuando todos estaban en casa. El momento que empezó a hablar, Conchita se salió de la sala donde estaban y fué a darle de comer a un canario. Rézanov habló despacio y con mucha discreción. No dijo ni una sola palabra que pudiera ofender a los Argüellos o comprometer a Conchita. Los Argüellos oyeron todo en silencio, y cuando el Conde acabó de hablar, el Comandante y su mujer le dieron las gracias por el honor que les hacía, pero indicaron desde luego que el matrimonio les parecía imposible por estar Conchita tan joven[2] y por ser ella católica y él no.

Rézanov contestó que estos obstáculos podrían desaparecer con el tiempo, que creía que todo se podría arreglar.

— Imposible, imposible — dijo Doña María Ignacia —. Conchita está demasiado joven para casarse. Si apenas tiene quince años.[3]

Rézanov explicó su plan. Les contó a los padres de Conchita todo lo que ya le había contado a ella. Y en cuanto al problema religioso, Rézanov dijo que él mismo haría las gestiones necesarias [4] para obtener la dispensa de Roma.

Llamaron sus padres a Conchita y le dijeron todo lo que había dicho Rézanov. Esperaban ellos que Conchita seguramente no iba a dar una respuesta definitiva. 5
Pero Conchita miró a sus padres con ojos serenos y declaró que estaba enamorada del Conde y que quería casarse con él.

— Tiene razón María Ignacia — dijo el Comandante, palideciendo —. Conchita es una niña. Ahora está un 10
poco excitada. Esperaremos unos días, y entonces discutiremos este asunto con más calma.

Pero la verdad es que la niña de quince abriles [5] no estaba excitada. El excitado era su papá.

PREGUNTAS

1. ¿Por qué merecían el respeto de Rézanov el Comandante Argüello y todos los miembros de su familia? 2. ¿Qué era de ellos además? 3. ¿Qué decidió hacer Rézanov? 4. ¿Qué hizo Conchita el momento que Rézanov empezó a hablar? 5. ¿De qué manera habló Rézanov? 6. ¿Qué hicieron el Comandante y su mujer cuando el Conde acabó de hablar? 7. ¿Por qué dijeron que el matrimonio de Conchita con Rézanov les parecía imposible? 8. ¿Qué contestó Rézanov? 9. ¿Qué dijo doña María Ignacia? 10. ¿Qué explicó entonces Rézanov? 11. ¿A quién le había explicado su plan antes? 12. ¿Qué gestiones dijo que él mismo haría? 13. ¿Qué hicieron entonces los padres de Conchita? 14. ¿Creían ellos que Conchita iba a declarar que quería casarse con el Conde? 15. ¿Qué declaró Conchita? 16. ¿Qué dijo entonces el Comandante? 17. ¿Quería esperar unos días? 18. ¿Estaba Conchita muy excitada? 19. ¿Quién era el excitado? 20. ¿Por qué estaba tan excitado el padre de Conchita?

LOCUCIONES Y MODISMOS

1. **creyó que ya no debía guardarles secreto a don José Darío y a doña María Ignacia su amor a Conchita,** he thought that he should no longer keep secret his love for Conchita from Don José Darío and Doña María Ignacia.

2. **por estar Conchita tan joven,** because Conchita was so young.

3. **Si apenas tiene quince años,** Why, she is hardly fifteen years old.

4. **que él mismo haría las gestiones necesarias,** that he himself would take the necessary measures.

5. **la niña de quince abriles,** the fifteen-year-old girl.

LECCIÓN TRECE

Rézanov siguió su vida ordinaria. Todos los días iba a la casa de los Argüellos, y todos los días salía a dar un paseíto por el patio del Presidio con Conchita para hablar con ella a solas. Los dos seguían soñando. Los padres de Conchita todavía no habían dado su consentimiento a las deseadas bodas, pero los amantes no se apenaban.

— Con el tiempo consentirán — le decía el Conde a Conchita.

Pero cuando el Conde no estaba en la casa, los padres de Conchita le decían y le repetían que era todavía una niña, que Rézanov no era católico, y además, que si se la llevaba a Rusia no la volverían a ver.[1] Pero a Conchita todo esto le entraba por un oído y le salía por el otro.[2] Se defendía siempre con elocuencia y con los argumentos de todas las niñas enamoradas. Ella quería al Conde y el Conde la quería a ella. Los dos querían casarse. Y si el Conde no era católico, no importaba porque el Papa daría la dispensa, y con el tiempo ella lo convertiría al catolicismo.

Viendo la firme resolución de su hija, don José Darío y doña María Ignacia fueron a pedir consejo a los padres de la Misión. Aconsejada por ellos Conchita fué a misa una mañana, se confesó y comulgó, y habló de sus amores con su confesor. No sabemos, ni nos importa saber,[3] todo lo que su confesor le dijo a Conchita, pero de seguro le dijo que casarse con el hombre a quien amaba no era pecado si obtenía el consentimiento de sus padres y venía una dispensa de Roma. Sea como fuere,[4] los misioneros aconsejaron a los padres de Conchita que era necesario apelar a Roma.

Por fin los padres dieron su consentimiento condicionalmente. Se casaría Conchita con el Conde dentro
5 de uno o dos años si la Iglesia lo permitía. Estas condiciones fueron aceptadas gustosamente por Rézanov, y el noviazgo fué formalmente aceptado por los padres de Conchita, solemnizado por escrito en presencia del Gobernador Arrillaga y de los padres misioneros, y debida-
10 mente festejado. El Conde y Conchita no cabían de alegría. El prometido de Conchita, que antes era amigo íntimo de los Argüellos, ahora era como uno de la familia, y en la casa de ella estaba como en la suya.[5]

PREGUNTAS

1. ¿Qué siguió haciendo Rézanov? 2. ¿Qué hacía todos los días? 3. ¿Qué seguían haciendo Rézanov y Conchita? 4. ¿Habían dado los padres de Conchita su consentimiento a las deseadas bodas? 5. ¿Qué le decía el Conde a Conchita? 6. ¿Qué le decían a Conchita sus padres cuando el Conde no estaba en la casa? 7. ¿Hacía Conchita mucho caso de lo que le decían? 8. ¿De qué manera se defendía? 9. ¿Por qué decía que no importaba si el Conde no era católico? 10. ¿Qué hicieron los padres de Conchita cuando vieron la firme resolución de su hija? 11. ¿Qué hizo Conchita aconsejada por ellos? 12. ¿Con quién habló de sus amores? 13. ¿Qué le dijo de seguro a Conchita su confesor? 14. ¿Qué aconsejaron los padres misioneros? 15. ¿Qué hicieron los padres por fin? 16. ¿Bajo qué condición se casaría Conchita con el Conde? 17. ¿Aceptó el Conde las condiciones? 18. ¿Por quiénes fué aceptado el noviazgo formalmente? 19. ¿Estaban contentos el Conde y Conchita? 20. ¿De qué manera fué solemnizado el noviazgo? 21. ¿Cómo era ahora el prometido de Conchita en la casa de los Argüellos?

LOCUCIONES Y MODISMOS

1. **que si se la llevaba a Rusia no la volverían a ver,** that if he should take her to Russia they would never see her again.

2. **Pero a Conchita todo esto le entraba por un oído y le salía por el otro,** But Conchita paid very little attention to all this.

3. **ni nos importa saber,** nor is it our concern to know.

4. **Sea como fuere,** However that may be.

5. **y en la casa de ella estaba como en la suya,** and in her house he was as if he were in his own (house).

LECCIÓN CATORCE

Una semana después del día de los esponsales, el Conde dió una recepción y comida en el Juno en honor de los padres de Conchita. Fueron invitados todos los Argüellos y sus amigos íntimos, los padres misioneros y el 5 Gobernador Arrillaga. La recepción se celebró a cubierta,[1] y la comida en la única sala grande del buque. La mesa estaba suntuosamente servida con carne de cordero, codornices californianas, bacalao a la vizcaína, camarones con arroz, pasteles y otras golosinas rusas, 10 vinos franceses y otras bebidas europeas.

Cuando la comida estaba ya casi terminada, un oficial ruso dejó su sitio y se dirigió a la cocina. Volvió inmediatamente con una magnífica bandeja de plata con el escudo de Rézanov en relieve, y se la entregó a doña 15 María Ignacia.[2] Estaba la madre de Conchita admirando el regalo cuando otro oficial puso sobre la bandeja una grande cesta llena de empanadas. Eran verdaderas y auténticas empanaditas californianas de carne y de fruta, hechas con todo el cuidado y cariño de que era 20 capaz la prometida del Conde Rézanov.

— La bandeja te la regalo yo [3]— le dijo el Conde a doña María Ignacia —, y las empanadas te las regala Conchita.[4]

Hubo empanadas para todos. Los que con más en- 25 tusiasmo las saboreaban eran los Argüellos, porque conocían muy bien la marca. El Gobernador le explicó al Conde que había que comerlas a la manera californiana,[5] o sea, alternando bocados de empanada con traguitos de vino.

— Con cada empanada — dijo — hay que beber [6] un vasito de vino tinto.

¡Y hay historiadores serios que nos cuentan que el Gobernador se comió solamente una empanada!

Otro día Conchita y sus hermanas acompañadas de Rézanov y dos de sus oficiales dieron un paseo a caballo por los alrededores de San Francisco.[7]

— ¿Te gusta mucho el campo? — le preguntaba el Conde a Conchita.

— Sí, mucho, particularmente ahora en el mes de mayo cuando hay tantas flores.

Y a cada momento se apeaba Rézanov de su caballo para recoger amapolas para Conchita.

— ¿Sabes lo que voy a hacer con ellas? — le decía Conchita a su prometido —. Las voy a poner en el altar de la Virgen para que no te permita que me olvides.[8]

PREGUNTAS

1. ¿Qué dió Rézanov en el Juno una semana después del día de los esponsales? 2. ¿Quiénes fueron invitados? 3. ¿Dónde se celebró la recepción? 4. ¿Y la comida? 5. ¿Con qué estaba servida la mesa? 6. ¿Qué hizo un oficial ruso? 7. ¿Con qué volvió? 8. ¿A quién entregó la bandeja de plata? 9. ¿Qué puso sobre la bandeja otro oficial? 10. ¿Qué clase de empanadas eran? 11. ¿Quién había hecho las empanadas? 12. ¿Quién le había regalado a doña María Ignacia la bandeja? 13. ¿Quiénes eran los que con más entusiasmo saboreaban las empanadas? 14. ¿Qué le explicó a Rézanov el Gobernador Arrillaga? 15. ¿Qué había que beber con cada empanada que se comía? 16. ¿Cuántas empanadas se comió el Gobernador? 17. ¿Qué hicieron Conchita y su prometido otro día? 18. ¿Qué le preguntaba el Conde a Conchita? 19. ¿Qué contestaba Conchita? 20. ¿Para qué se apeaba Rézanov de su caballo a cada momento? 21. ¿De

qué color son las amapolas californianas? 22. ¿Qué iba a hacer Conchita con las amapolas que recogía Rézanov? 23. ¿Para qué las iba a poner en el altar de la Virgen?

LOCUCIONES Y MODISMOS

1. **se celebró a cubierta,** was held on the deck.

2. **y se la entregó a doña María Ignacia,** and gave it to Doña María Ignacia.

3. **La bandeja te la regalo yo,** The tray is a gift from me.

4. **y las empanadas te las regala Conchita,** and the turnovers are a gift from Conchita.

5. **que había que comerlas a la manera californiana,** that one should eat them (that they had to be eaten) California style.

6. **hay que beber,** one should drink.

7. **por los alrededores de San Francisco,** in the vicinity of San Francisco, or around San Francisco.

8. **para que no te permita que me olvides,** so that she will not allow you to forget me.

LECCIÓN QUINCE

Como quiera que todas las cosas de este mundo llegan a su fin,[1] tuvieron fin también la alegría y la felicidad de Conchita y de Rézanov. Un lunes por la mañana de mediados del mes de mayo[2] Rézanov llegó al Presidio y le anunció a Conchita que en una semana se daría a la vela para su patria.[3] Ya sabía Conchita que su novio tenía que marcharse, pero su anuncio la puso muy triste.

— Cuanto más pronto me marche más pronto vuelvo —[4] le dijo Rézanov a Conchita.

Se hicieron los preparativos para el viaje, y después de muchas fiestas, comidas y bailes, en el Presidio, en la Misión y en el buque Juno, Rézanov, el día antes de su partida, fué a despedirse oficialmente del Gobernador Arrillaga, de los Argüellos, de los padres misioneros y de su prometida. Otra vez trajo regalos para los Argüellos. A Conchita le regaló una sortija con tres brillantes, un collar de perlas y su retrato. Conchita, de su parte, le regaló a Rézanov una sencilla sortija de oro y una pequeña fotografía en hoja de lata, sacada en Monterrey el año anterior.

— Este retratito lo llevas para que no me olvides — le dijo a su novio.

Por la tarde bailaron por última vez los oficiales rusos con las señoritas californianas. Conchita estaba muy triste, y cada vez que el Conde la sacaba a bailar, prefería quedarse sentada a su lado para hablar con él. Nuestro guitarrista cantador se valió de la ocasión[5] durante uno de estos bailes no bailados por los novios, y cantó la siguiente copla:

Dicen que te vas el lunes,
no te vayas hasta el martes,[6]
que tiene mi corazón
muchos consejos que darte.

Esa noche Conchita llevó a Rézanov a la habitación donde tenían el altar de la Virgen. Las amapolas recogidas el día del paseo a caballo rodeaban a la Madre de Dios.

5 — Rézale a la Virgen y prométele que no me vas a olvidar —[7] le dijo Conchita a su prometido.

Rézanov se arrodilló delante de la Virgen y rezó por unos momentos. Cuando terminó le dijo a Conchita:

— Nosotros también le rezamos a la Madre de Dios.

10 Por fin Rézanov se marchó. Abandonaba para siempre la casa de su prometida.

PREGUNTAS

1. ¿Son eternas las cosas de este mundo? 2. ¿Qué le anunció Rézanov a Conchita un lunes de mediados del mes de mayo? 3. ¿Se alegró Conchita? 4. ¿Qué le dijo Rézanov a Conchita? 5. ¿Adónde fué Rézanov el día antes de su partida? 6. ¿Qué trajo otra vez? 7. ¿Qué le regaló a su prometida? 8. ¿Qué le regaló Conchita a Rézanov? 9. ¿Para qué dijo Conchita que le había dado su retrato? 10. ¿Qué hicieron por la tarde los oficiales rusos? 11. ¿Qué hacía Conchita cada vez que su prometido la sacaba a bailar? 12. ¿Qué hizo el guitarrista cantador? 13. ¿Qué copla cantó? 14. ¿Qué creía el guitarrista que tenía que darle a Rézanov el corazón de Conchita? 15. ¿Adónde llevó Conchita a Rézanov esa noche antes de que se fuera a su buque? 16. ¿Qué había en el altar alrededor de la Madre de Dios? 17. ¿Qué le dijo Conchita a Rézanov? 18. ¿Qué hizo Rézanov? 19. ¿Qué le dijo a Conchita? 20. ¿Quería Conchita que su prometido la olvidara?

LOCUCIONES Y MODISMOS

1. **Como quiera que todas las cosas de este mundo llegan a su fin,** Since all the things of this world come to an end.

2. **Un lunes por la mañana de mediados del mes de mayo,** On a Monday morning of the middle of May.

3. **que en una semana se daría a la vela para su patria,** that in a week he would set sail for his native land.

4. **Cuanto más pronto me marche más pronto vuelvo,** The sooner I leave, the sooner I will return.

5. **se valió de la ocasión,** took advantage of the occasion.

6. **no te vayas hasta el martes,** don't go until Tuesday.

7. **Rézale a la Virgen y prométele que no me vas a olvidar,** Pray to the Virgin and promise her that you will not forget me.

LECCIÓN DIECISÉIS

El día de la partida de los rusos parecía que toda la población de San Francisco había ido al puerto para despedirse de ellos.[1] Fueron el Gobernador Arrillaga, los Argüellos y sus amigos, los padres de la Misión y muchas otras personas. Doña María Ignacia y Conchita habían mandado llevar al Juno [2] cuatro enormes cestas llenas de golosinas para Rézanov y sus oficiales: empanadas, molletes, pasteles, codornices asadas, dos corderos asados, almendras, pasas, y algunas botellas de vino de Santa Bárbara.

Se llegó por fin la hora de la partida del buque. Conchita habló a solas con su prometido por unos momentos. Hablaba con él por la última vez de su vida.

El Juno salió de San Francisco el día 21 de mayo de 1806, a las seis de la tarde, con rumbo a Rusia, vía Alaska, disparando siete cañonazos para anunciar su partida oficialmente. Los cañones del Presidio respondieron con un saludo de nueve cañonazos.

Al mes de navegación el Juno llegó a Alaska. Del puerto de Nuevo Arcángel Rézanov mandó el informe de su viaje a California al Ministro de Comercio de Rusia. En el mes de agosto partió en el Juno para Kamchatka, donde permaneció unos días, despachando asuntos oficiales. De Kamchatka se dió a la vela para Okhotsk en la costa de Siberia. En este puerto dejó su buque, y el día 24 de septiembre de 1806 emprendió el viaje a San Petersburgo por tierra.

Acompañaban a Rézanov dos de sus familiares, y los tres iban a caballo. Había emprendido nuestro héroe un viaje muy peligroso a través de los helados desiertos de Siberia y por caminos casi desconocidos. Pero, a pesar de todo, Rézanov, que no pensaba más que en su novia, iba muy entusiasmado camino de San Petersburgo. Deseaba llegar cuanto antes a la presencia del Zar para arreglar todo según su plan soñado y volver a California a casarse con Conchita.

«Si el Zar me permite llevar adelante mis planes y Dios quiere que mi felicidad sea completa,» [3] escribía Rézanov en su informe al Ministro de Comercio de Rusia, «volveré a California a casarme con doña Concepción, y luego iré a Nueva España, donde serviré a mi patria con todo el entusiasmo y toda la habilidad de que soy capaz.»

PREGUNTAS

1. ¿Quiénes fueron al puerto a despedirse de los rusos? 2. ¿Qué habían mandado llevar al buque doña María Ignacia y Conchita? 3. ¿Qué contenían las cestas? 4. ¿Qué hizo Conchita cuando se llegó la hora de la partida del Juno? 5. ¿Iba a hablar con Rézanov otra vez? 6. ¿Cuándo salió el Juno de San Francisco? 7. ¿Cuántos cañonazos disparó el buque para anunciar su partida? 8. ¿Con cuántos cañonazos respondieron los cañones del Presidio? 9. ¿Cuándo llegó el Juno a Alaska? 10. ¿Qué hizo Rézanov en el puerto de Nuevo Arcángel? 11. ¿Cuándo partió para Kamchatka? 12. ¿Adónde fué de Kamchatka? 13. ¿Qué hizo en el puerto de Okhotsk? 14. ¿Quiénes acompañaban a Rézanov en su viaje por tierra? 15. ¿Había Rézanov emprendido un viaje ordinario? 16. ¿En qué pensaba solamente? 17. ¿Para qué quería llegar a San Petersburgo cuanto antes? 18. ¿Para qué quería volver a California? 19. ¿Qué había escrito en su informe al Ministro de Comercio de Rusia? 20. ¿Adónde quería ir a servir a su patria después de casarse con Conchita?

LOCUCIONES Y MODISMOS

1. **para despedirse de ellos,** to say good-bye to them.

2. **habían mandado llevar al Juno,** had ordered to be taken to the Juno.

3. **y si Dios quiere que mi felicidad sea completa,** and if God grants that my happiness should be complete.

LECCIÓN DIECISIETE

Inmediatamente después de la partida de Rézanov en 1806, don José Darío Argüello fué nombrado Comandante del Presidio de Santa Bárbara, donde vivió con su familia hasta 1815. Durante el año 1815 fué Gobernador interino de California. 5

Pasaban años y años y Rézanov no volvía. Ya todos creían que se había muerto o que se había casado con otra mujer. Sólo Conchita no perdió las esperanzas.

Desde 1815 hasta 1821, don José Darío fué Gobernador de la Baja California y vivió con su familia en 10 Loreto. En 1818 un tal James Wilson Smith quería casarse con Conchita. Tenía entonces veintisiete años de edad y era todavía considerada como la mujer más hermosa de California.

— Ya tu prometido no vuelve — le decía su madre —. 15 Ya le has esperado doce años.

— Yo sé que volverá — contestaba Conchita —. Mi corazón me dice que no me ha olvidado.

Y seguía Conchita esperando la vuelta de su prometido y rechazando a todos sus pretendientes. 20

Ya sabemos que en 1822 el padre de Conchita abandonó la vida pública y se fué a vivir a Guadalajara, Méjico, con su familia. Muertos ya sus padres, Conchita volvió a California en 1830 a vivir con la familia de don José Antonio de la Guerra en Santa Bárbara. 25 Unos años más tarde, en 1836, cuando hacía treinta años que esperaba a su prometido y no volvía,[1] Conchita entró en la Tercera Orden de San Francisco y vistió el hábito de monja terciaria, pero siguió viviendo con la familia de don José Antonio de la Guerra.

En el año 1842, cuando Conchita tenía cincuenta y un años de edad, llegó a Santa Bárbara el señor George Simpson, Director de la Compañía de la Bahía de Hudson, y éste distinguido viajero trajo por primera vez a California noticias de Rézanov.[2]

Le contó a Conchita que su prometido había muerto en Siberia en 1807.

Al recibir estas tristes noticias, mayor que el pesar de la monja terciaria fué su alegría porque supo que su prometido le había sido fiel hasta la muerte.

— A la edad de cincuenta y un años — nos cuenta el señor George Simpson — todavía conservaba doña Concepción la frescura y la hermosura de su cara, su porte aristocrático, las afables maneras y los ojos brillantes y hermosos que cautivaron el corazón de Rézanov.

PREGUNTAS

1. ¿Dónde vivió don José Darío Argüello con su familia desde 1806 hasta 1815? 2. ¿Qué fué durante el año 1815? 3. ¿Volvía Rézanov de Rusia? 4. ¿Qué creían todos? 5. ¿Creía esto Conchita? 6. ¿Por qué vivió don José Darío en Loreto? 7. ¿Quién quería casarse con Conchita en 1818? 8. ¿Qué edad tenía Conchita entonces? 9. ¿Era todavía muy hermosa? 10. ¿Qué le decía entonces su madre? 11. ¿Qué contestaba Conchita? 12. ¿Qué le decía a Conchita su corazón? 13. ¿Qué seguía haciendo Conchita? 14. ¿Cuándo abandonó la vida pública el padre de Conchita? 15. ¿Adónde fué a vivir? 16. ¿Qué hizo Conchita cuando murieron sus padres? 17. ¿Qué hizo en 1836? 18. ¿Cuánto hacía entonces que esperaba a su prometido? 19. ¿Quién llegó a Santa Bárbara en 1842? 20. ¿Qué edad tenía entonces Conchita? 21. ¿Qué le contó el señor George Simpson a

Conchita? 22. ¿Por qué fué mayor la alegría que el pesar de Conchita? 23. ¿Qué nos cuenta el señor George Simpson de Conchita?

LOCUCIONES Y MODISMOS

1. **cuando hacía treinta años que esperaba a su prometido y no volvía,** when she had already waited thirty years for her betrothed and he did not return.

2. **noticias de Rézanov,** news about Rezanov.

LECCIÓN DIECIOCHO

Y EL FIN DE NUESTRA HISTORIA

A los tres meses de viajar por Siberia,[1] Rézanov cayó gravemente enfermo. Después de descansar unas tres semanas, mejoró mucho y creyéndose curado emprendió de nuevo su viaje. Tan débil estaba todavía, sin embargo, que unos días más tarde se cayó del caballo y enfermó de nuevo. Y el diá 1 de marzo de 1807, diez meses después de despedirse de su prometida en San Francisco, Rézanov murió en Krasnoyarsk.

Rézanov, por consiguiente, fué fiel a su prometida hasta la muerte, aunque el cielo le concedió solamente un año para probar su fidelidad. La fidelidad de Conchita, sin embargo, es un ejemplo perfecto de esta virtud, y no tiene igual ni en las historias ni en las novelas.[2] Esperó a su prometido por treinta y seis años, y el único premio de su fidelidad fué el saber que no la había olvidado.

El amor humano que Concepción Argüello había guardado en su corazón por treinta y seis años fué fortalecido y purificado por el dolor. Y por fin fué cambiado en otro amor, el más grande amor de todos, el amor de Dios. En el año 1851 fué establecido en California el primer convento de monjas, el Convento Dominicano de Monterrey. Su primera novicia californiana fué la monja terciaria Concepción Argüello, la que cuarenta y cinco años antes, a los quince años de edad, había celebrado sus esponsales con el Conde Rézanov en el Presidio de San Francisco. Y el día 11 de abril del mismo año María de la Concepción Marcela Argüello recibió de las manos del Arzobispo de California, José Sadoc Alemany, el hábito blanco de la Orden de Santo Domingo, y con él el nombre de Sor María Dominga.

En 1854 el Convento Dominicano de Monterrey fué cambiado a Benicia. Allí murió el día 23 de diciembre de 1857 a los sesenta y seis años de edad, y medio siglo después de la muerte del Conde Rézanov, la monja dominicana Sor María Dominga.

PREGUNTAS

1. ¿Qué le pasó a Rézanov a los tres meses de viajar por Siberia? 2. ¿Cuándo mejoró de su enfermedad? 3. ¿Por qué se cayó de su caballo? 4. ¿Cuándo y dónde murió? 5. ¿Fué fiel a su palabra el Conde? 6. ¿Cuánto tiempo le concedió el cielo para probar su fidelidad? 7. ¿Qué es la fidelidad de Conchita? 8. ¿Hay muchos otros ejemplos iguales? 9. ¿Por cuánto tiempo esperó Conchita a su prometido? 10. ¿Cuál fué el único premio de su fidelidad? 11. ¿De qué manera fué fortalecido y purificado el amor humano que Conchita había guardado en su corazón por treinta y seis años? 12. ¿En qué otro amor fué cambiado? 13. ¿Dondé fué establecido el primer convento de monjas en California? 14. ¿Quién fué su primera novicia? 15. ¿Cuántos años antes había celebrado sus esponsales esta novicia? 16. ¿Qué ocurrió el día 11 de abril de 1851? 17. ¿Qué nombre tomó? 18. ¿Adónde fué cambiado el Convento Dominicano de Monterrey en 1854? 19. ¿Cuándo y dónde murió Sor María Dominga? 20. ¿Cuándo había muerto el Conde Rézanov? 21. ¿Le gusta a usted la historia de Conchita Argüello? 22. ¿Sabe usted qué poeta californiano escribió un poema muy famoso sobre Conchita Argüello?

LOCUCIONES Y MODISMOS

1. **A los tres meses de viajar por Siberia,** After travelling through Siberia for three months.

2. **y no tiene igual ni en las historias ni en las novelas,** and there is no other similar example either in history or in novels.

VOCABULARY

ABBREVIATIONS

a. adjective
abs. absolute
adv. adverb
art. article
conj. conjunction
def. definite
dem. demonstrative
f. feminine
imper. imperative
indef. indefinite
m. masculine
p. participle
pl. plural
poss. possessive
p. p. past participle
prep. preposition
pron. pronoun
refl. reflexive
rel. relative
s. substantive (noun)
sing. singular
— word repeated

The parts of speech are indicated only in the case of possible confusion of identical forms. Gender is not indicated for masculine nouns in **o** or for feminine nouns in **-a**, **-ión**, **-dad**, **-tad**, and **-tud**, or when the gender is obvious from the meaning of the word. All adjectives are given in the masculine singular form, and the feminine ending, if different from the masculine form, is always indicated, *asado -a*, meaning masculine singular *asado*, feminine singular *asada*. In the case of the radical-changing verbs the vowel change of the accented syllable is given in parenthesis.

VOCABULARY

a to, at, in, for, from, by, on, with, towards
a *sign of the direct object*
abandonar to abandon
abril *m.* April
abrir to open
aburrido -a tiresome
acabar to finish, end; **— de** to have just; **acabó de hablar** finished speaking
aceite *m.* oil
aceptar to accept
acompañar to accompany
aconsejar to advise
acostumbrado -a accustomed, customary, usual
adelantarse to go ahead, go forward
adelante forward, ahead, before; **más —** later
además besides, furthermore; **— de** besides, in addition to
admirar to admire
adonde where, whither
¿adónde? where? whither?
adorar to adore
advertir (ie) to advise, warn, observe
afable affable, nice
agosto August
ahora now; **— mismo** right now
ajustado -a close-fitting
al = a + el
Alaska Alaska
alegrarse to be glad, become glad; **se alegró** became glad
alegre glad, happy, joyous
alegría joy, happiness
algo *pron.* something, some
algo *adv.* somewhat, a little
algún *see* **alguno -a**
alguno -a some, some one; *pl.* a few, some
alma soul; **mi —** dear, my dear, sweetheart
almendra almond
almorzar to breakfast, lunch
alrededor de around, near, in the vicinity of; **los —es de** the vicinity of
altar *m.* altar
alternar to alternate
alto -a tall, high
aludido -a alluded, intended
allí there
amable kind, nice, amiable
amante *m.* and *f.* lover, loved one
amapola poppy
amar to love
amarillo -a yellow
amiga friend
amigo friend
amigo -a friendly
amiguita friend, little friend
amor *m.* love; **—es** *m. pl.* love affair
amorillos *m. pl.* love affair; **— incipientes** beginning of a love affair
andaluz -uza Andalusian
andar to walk, go, pass
anterior former, before
antes before, formerly; **— de** *or* **que** before, ahead of; **cuanto —** as soon as possible
antiguo -a ancient, old
Antonio Anthony
anunciar to announce, tell

anuncio announcement, notice, news
añadir to add
año year; **tiene quince —s de edad** is fifteen years old
apearse to dismount, get down
apelar to appeal
apenarse to worry, be troubled
apenas hardly, barely
aprender to learn
aprisa quickly, in haste
aquí here
aragonés -esa Aragonese
argumento argument
aristocrático -a aristocratic
arzobispo archbishop
arracada ear-ring
arreglar to arrange, fix
arrodillarse to kneel, fall on one's knees
arroz *m.* rice
asado -a roasted, fried
asar to roast, fry
así thus, in this way, so
asistir to assist, attend, be present; **— a** to attend, assist; **— a la misa** to go to mass
asunto affair, business
atención attention, favor
atrás back, behind
atreverse to dare, venture
aun *or* **aún** even, yet, still
aunque although, even though, even if
auténtico -a authentic, real
automóvil *m.* automobile
autor *m.* author
avisar to inform, tell, warn
azul blue; **— cielo** light *or* sky blue

bacalao cod; **— a la vizcaína** cod in Biscayan style
bahía bay
bailador *m.* dancer
bailar to dance
baile *m.* dance, ball
Baja California Lower California
bajar to come down, descend; to lower, bring down
bajo -a low, short
bajo *adv.* under, below
bandeja tray; **— de plata** silver tray
barrunto sign; **tener —s de** to suspect
bautizar to baptize
beber to drink
bebida drink, liquor
beldad beauty, beautiful woman
bellísimo -a most beautiful, very beautiful
Benicia *town in Northern California, near San Francisco*
bien *adv.* well; **más —** rather; **las más — conocidas** the best known
blanco -a white, fair
blanquísimo -a very white
boca mouth
bocado mouthful, bite, morsel
boda wedding; **—s** wedding, marriage
bondadoso -a kind, good
bonito -a pretty, nice
bordar to embroider
borreguito lamb, little lamb; **el —** *name of California Spanish dance*
botella bottle
brazo arm
brillante *m.* diamond
brillante brilliant, penetrating
buen: *see* **bueno -a**
bueno -a good, nice
buque *m.* ship
buscar to look for, get

caballo horse; **a —** on horseback
caber to contain, be contained; **no — de alegría** to be beside one's self with joy
cabeza head; **sobre la —** on her head
cada every, each; **— uno** each, each one
caer to fall; **— enfermo** to become ill; **—se** to fall
California California
californiano -a Californian
calma calm, calmness, serenity, peace
camarón *m.* shrimp
cambiar to change
cambio change
camino road, way; **— de** on his *or* their way to
campo field, country
canario canary
canción song
cantador *m.* singer
cantador -ora singer, singing
cantar to sing
cantidad quantity
cañón *m.* cannon; gun
cañonazo cannon-shot
capaz capable
capital *f.* capital, city
capitán *m.* captain
cara face; **— a —** face to face
carácter *m.* character
cariño affection, love, care
caritativo -a charitable
carne *f.* meat; **— de cordero** lamb
carreta cart, wagon
carro wagon
casa house, home; **en —** at home
casarse to marry, wed; **— con** to marry
casi almost, nearly
caso case; affair; attention; **hacer — (de)** to pay attention (to)
catolicismo *m.* catholicism
católico -a Catholic
catorce fourteen
causa cause, motive
cautivar to captivate
cayó: *see* **caer**
celebrar to celebrate; **—se** to take place, be given
centro center, middle
cerca near, nearby; **— de** near, close to
cesar to cease, stop
cesta basket
cielo heaven, sky
cinco five
cincuenta fifty
cine *m.* "movie," moving-picture
claro -a clear; **claro es** to be sure
clase *f.* class, kind
clima *m.* climate
cocina kitchen; cooking
codornices *pl. of* **codorniz**
codorniz *f.* quail
colmar to fill, shower, overwhelm
colonizar to colonize
color *m.* color
collar *m.* collar, necklace; **— de perlas** pearl necklace
comandante *m.* commander, commandant
comer to eat, dine; **—se** to eat; **dar de —** to feed
comercial commercial
comercio commerce, trade
comida dinner; food; **— de confianza** informal *or* family dinner
como as, like, since, inasmuch as

¿cómo? how? what?
compañera companion, partner
compañía company
completo -a complete
comprar to buy, purchase
comprender to understand
comprometer to compromise, embarrass
comulgar to receive Holy Communion
con with, by
conceder to grant, concede
Concepción Conception
Conchita short and affectionate for **Concepción**
conde *m.* count
condición condition
condicionalmente conditionally
confesarse to confess, go to confession
confesor *m.* confessor
confianza confidence; **charlas de —** intimate chats
conocer to know, recognize, be acquainted with; **más bien conocidas** best known
conquista conquest
conquistar to conquer
consejo advice, counsel
consentimiento consent
consentir (ie) to consent, agree
conservar to keep, retain
considerar to consider
consiguiente: por — therefore
consintió *3rd pers. sing. past abs. of* **consentir**
consistir to consist
constituir to constitute
contar (ue) to relate, tell; **le contaban** he was told
contener to contain, have
contento -a content, happy, glad
contestación reply, answer
contestar to reply, answer
contrario -a contrary
convento convent
conversación conversation, discourse
conversar to converse, talk
convertir (ie) to convert
copla *popular quatrain or stanza*
corazón *m.* heart
cordero lamb
cordial cordial
corona crown
corpiño waist, blouse, bodice
corte *f.* court
cortesía courtesy
correctamente correctly
correcto -a correct, right
corresponder to correspond, equal, pay back
cosa thing, affair
coser to sew
costa coast
costar (ue) to cost
costumbre *f.* custom, habit; **como era —** as was the custom
creer to believe
creyendo: *pres. p. of* **creer**
creyó: *3rd pers. sing., past abs. of* **creer**
cristiano -a Christian
cuadrillas *f. pl.* quadrille (dance)
cual (*pl.* **cuales**) which; **el** *or* **la cual** which, who, the one that
¿cuál? who? which? what? whom? which one?
cuando when
cuándo when?
cuanto -a as much as, all that, as many as; **cuanto más pronto** the sooner; **en cuanto a** with respect to; **unas cuantas** a few

¿cuánto? -a how much? how many?
cuarenta forty; **unos — años** some forty years
cuarto -a fourth, four
cuarto room
cuatro four
cubierta deck (of a ship); **a —** on (the) deck
cuenta account; notice; **dar —** to inform; **darse —** to realize, discover
cuenta *3rd pers. sing. pres. ind. of* **contar**
cuerpo body
cuidado care
cultura culture
cultural cultural
cumplir to fulfill; **para —** to oblige, out of courtesy
curar to cure; **creyéndose curado** believing that he had recovered
cuyo -a whose, of whom, of which

charla talk, chat
charlar to talk, chat, converse

dar to give, offer; **— de comer** to feed; **— las gracias** to thank; **— el brazo a torcer** to give up, be outdone; **— un paseo** to take a walk, ride *or* drive; **— un paseo a caballo** to go for a ride on horseback; **—se a la vela** to sail; **—se por aludido -a** *or* **entendido -a** to understand
Darío Darius
de of, from, by, in with, than
deber to owe, must; should
debidamente properly
debido a owing to, on account of
débil weak
decidir to decide, determine
décimo -a tenth
decir to say, tell; **querer —** to mean, signify
declaración statement
declarar to declare, state
defender to defend; **—se** to defend one's self
definitivo -a definite, final
definitivamente in a definite manner
dejar to leave, allow; **— de** to stop, fail to; **no — de** not to help
del = **de** + **el**
delante before, ahead; **— de** before, ahead of, in front of
delgado -a thin, delicate
delicioso -a delicious, wonderful
demasiado -a too much, too many, excessive
demasiado *adv.* too, too much
dentro de within, inside of
derrotar to defeat, rout
desaparecer to disappear, vanish
desarrollarse to develop, to be developed
descansar to rest
desconocido -a unknown
descubierto -a discovered
descubrir to discover
desde from, since; **— entonces** from that time
desear to desire, wish
deseo desire, wish
desierto desert
despacio slowly, gently
despachar to transact
despedirse (i) to depart, say farewell, say good-bye
despidieron *3rd pers. past abs. pl. of* **despedir**

después after, afterwards; **— de** after, next to
di: *imperative sing. of* **decir**; **dime** tell me
día *m.* day; **— de fiesta** holiday or feast day; **otro —** (the) next day; **todos los —s** every day; **el — ocho** on the eighth day
dicen *3rd pers. sing. pres. ind. of* **decir**
diciembre *m.* December
dicho -a *p. p. of* **decir**
dichoso -a happy, fortunate
diecinueve nineteen
dicciocho eighteen
dieciséis sixteen
diecisiete seventeen
diente *m.* tooth
dieron *3rd pl. past abs. of* **dar**
diez ten
dije, dijiste, dijo, dijimos, dijisteis, dijeron *past abs. of* **decir**
dime *imper. of* **decir + me**
dinero money
dió *3rd sing. past abs. of* **dar**
Dios *m.* God
directamente directly
director *m.* director
dirigir to direct; **—se** to go to, proceed
discreción discretion
discusión discussion
discutir to discuss
disparar to fire (a shot)
dispensa dispensation, permission
distinguido -a distinguished, famous
distinto -a distinct, different
distrito district
divertir (ie) to amuse; **—se** to amuse one's self; **todo el mundo se divertía** everybody had a good time
divinamente beautifully, in a wonderful manner
doce twelve
doctrina doctrine
dolor *m.* grief, sorrow
Dominga Dominica
domingo Sunday; **el — por la tarde** on Sunday afternoon(s); **los —s** (on) Sundays
dominicano -a Dominican (of the Dominican Order)
dominio dominion, sovereignty
don Sir, Mr
donde where
¿dónde? where? **¿por —?** through where? through what country?
doña lady, madam, Mrs
dos two; **los —** both
doscientos -as two hundred; **unos —** some or about two hundred
dulce sweet, kind, gentle
durante during, at
durar to last, endure

e (*before* **i** *or* **hi,** *instead of* **y**) and
echar to put, throw, cast
edad age
educar to educate
ejecutar to do, perform
ejemplo example, case; **por —** for example
el *def. art. m. sing., pl.* **los** the; **— que** the one that, he who
él *pl.* **ellos** he; (*after a preposition*) him
eléctrico -a electric
elegante elegant, beautiful
elegantemente elegantly, beautifully

elocuencia eloquence
ella *pl.* **ellas** she; (*after a preposition*) her
ellas *f. and pl. of* **ella** they; (*after a preposition*) them
ellos *m. and pl. of* **él** they; (*after a preposition*) them
embajador *m.* ambassador; **de —** as ambassador
embargo: sin — however, nevertheless
empanada *a special kind of Spanish turnover made of meat or fruit*
empanadita same as **empanada**
empezar (ie) to begin, start
emplear to employ, use
emprender to undertake
en in, into, on, upon, at
enamorado -a in love, enamoured; **— de** in love with
enamorado lover, one in love
enamorarse to fall in love; **— de** to fall in love with
encantador -ora enchanting, charming, wonderful
enfermar to become ill
enfermedad illness
enfermo -a ill, sick; **caer —** to become ill
enorme enormous, large
enseñar to teach
entender (ie) to understand
entendido -a understood; **darse por —** to understand
entonces then, at that time; **para —** by that time
entrar to enter, come in
entre among, between
entregar (ie) to give, deliver
entrevista interview
entrevistarse con to have an interview with
entusiasmado -a enthusiastic
entusiasmo enthusiasm
enviar to send
época epoch, time
erigir to erect, build
esa, esas: *see* **ese, esos**
ésa, ésas: *see* **ése, ésos**
escolta escort
escribir to write
escrito -a *p. p. of* **escribir; por escrito** in writing
escudo coat of arms; crest
escuela school
ese, esa *dem. a., m. and f. sing.* that; **ese día** on that day
ése, ésa *dem. pron., m. and f. sing.* that, that one
eso *dem. pron.* that; **por —** for that reason, on that account
esos, esas *pl. of* **ese, esa**
ésos, ésas *pl. of* **ése, ésa**
España Spain; **Nueva —** New Spain (Mexico)
español -ola *a. and s.* Spanish, Spaniard; **el —** Spanish (language)
especial special
esperanza hope
esperar to hope, await, wait for
espiritual spiritual
espléndido -a splendid, fine, wonderful
esponsales *m. pl.* betrothal, betrothal ceremonies *or* festivities
esta, estas: *see* **este, estos**
ésta, éstas: *see* **éste, éstos**
establecer to establish
estar to be; **— loco con** to love dearly
estatura stature
este, esta *dem. a., m. and f. sing.* this
éste, ésta *dem. pron., m. and f. sing.* this, this one, the latter

esto this, this affair
estos, estas *pl. of* **este, esta**
éstos, éstas *pl. of* **éste, ésta**
estuve, estuviste, estuvo, estuvimos, estuvisteis, estuvieron *past. abs. of* **estar**
eterno -a eternal
Europa Europe
europeo -a European
excepto except, with the exception of
excitado -a excited, nervous
experto -a expert
explicar to explain
expresar to express
expresivo -a expressive; **poco —** insensible

facciones *f. pl.* features, face
fácil easy
fácilmente easily
falda skirt; **—s** skirts
falta fault; lack; **hacer —** to be necessary
faltar to be necessary; fail, lack
familia family
familiar *m.* servant
familiar familiar, informal
famoso -a famous, renowned
farola lantern, street lamp
fascinador -ora fascinating, attractive
febrero February
felicidad happiness
festejar to celebrate
fidelidad fidelity
fiel faithful, loyal
fiesta feast, party, feast day, holiday; **día de —** holiday
fin *m.* end; purpose; **por —** finally, in the end; **al —** finally, in the end; **a —es** at the end, towards the end
fino -a fine, delicate, nice
firme firm, strong
flor *f.* flower; **—es rojas** flower designs in red
Font, Pedro *a Franciscan missionary, and one of the founders of San Francisco*
formalmente formally
formar to form, make; **—se** to be formed, to be organized
fortalecer to strengthen, make strong
fotografía photograph
francés -esa *a.* and *s.* French
Francisco Francis
frase *f.* phrase
frescura freshness
frontera frontier
fruta fruit
fuere, fueres, fuere, fuéremos, fuereis, fueren *future subjunctive of* **ser** *and* **ir**
fuese, fueses, fuese, fuésemos, fueseis, fuesen *past subjunctive of* **ser** *and* **ir**
fuí, fuiste, fué, fuimos, fuisteis, fueron *past abs. of* **ser** *and* **ir**
fundación foundation, founding, establishment
fundador *m.* founder
fundar to found, establish

gallardo -a gallant, debonair
gana desire, wish; **darle a uno la — de** to wish, desire, take a notion to; **tener —s de** to wish, long for
generosidad generosity
gente *f.* people; **la — se hablaba** people spoke to one another
gestión measure, step; **hacer —es** to take measures
gloria glory; happiness
glorioso -a glorious, great

gobernador *m.* governor; — **interino** acting governor
gobierno government
golosina dainty; **—s** dainties, sweets
gracia grace; **—s** thanks; **dar las —s** to thank
Granada Granada, *city in Southern Spain*
grande large, big, great
gravemente seriously, critically
grupo group
Guadalajara Guadalajara, *city in Western Mexico*
guardar to keep, guard, put away; — **secreto -a** to keep secret; — **secretos** to keep secrets
guarnición garrison
guerra war
guitarra guitar
guitarrista *m.* guitar player, guitarist
gustar to please, like, be liked; **me gusta** I like
gustosamente gladly

haber *auxiliary verb* to have; **hay** there is, there are; **había** there was, there were
habilidad ability
habitación room, hall
habitante *m.* inhabitant
hábito habit, garb
hablar to speak
hacer to do, make; to give; to be; — **caso de** to pay attention to; — **calor** to be warm; — **frío** to be cold; **hace veinte años** twenty years ago; **hacía treinta años** it was thirty years
hallar to find; **—se** to be, be present
haría *3rd pers. sing. cond. of* **hacer**
harina flour
hasta to, up to, as far as, until
hay there is, there are; — **que advertir** it must be noted
hazaña deed, prowess
hecho -a *p. p. of* **hacer**
helado -a frozen, cold
hemisferio hemisphere
hermana sister
hermano brother; **—s** brothers and sisters
hermosísimo -a very beautiful, most beautiful
hermoso -a beautiful, pretty
hermosura beauty
héroe *m.* hero
hice, hiciste, hizo, hicimos, hicisteis, hicieron *past abs. of* **hacer; se hicieron** were done, were carried on
hidalgo gentleman, aristocrat
hija daughter
hijo son
historia history, story
historiador *m.* historian
hizo *see* **hice**
hoja leaf; — **de lata** tintype
hombre *m.* man
hombro shoulder
honor *m.* honor
hora hour, time; **ya hacía más de una —** more than an hour had elapsed
hube, hubiste, hubo, hubimos, hubisteis, hubieron *past abs. of* **haber**
hubo *see* **hube**
huésped *m.* host, guest
humano -a human

iglesia church
Ignacia Ignatia

igual equal, the same
imperial imperial
imperio empire
importancia importance
importante important
importantísimo -a most important
importar to be important, to matter
imposible impossible
incipiente initial, incipient
independiente independent
indicar to indicate, point out, state
indio Indian
indio -a Indian
indirecto -a indirect
informe *m.* report, statement
inmediatamente immediately
insistir to insist
inteligente intelligent
intención intention
interino -a acting
íntimo -a intimate
invitación invitation
invitado guest, invited guest
invitar to invite
ir to go; **—se** to go, go away, depart

jardín *m.* garden; flower garden
Joaquín *m.* Joachim
José *m.* Joseph
jota *name of the letter j; name of Spanish dance;* **— aragonesa** Aragonese jota
joven *m.* young man, youth
joven *f.* young woman, girl
joven young, youthful
jovencita girl, young girl; **— de quince abriles** fifteen year old girl
joya jewel
Juan *m.* John
Juno Juno
junto -a united; **—s** joined, united, together, near

Kamchatka *peninsula and province in Eastern Russia*
Krasnoyarsk *city in Siberia, halfway between Vladivostok and Saint Petersburg*

la *def. art. f. sing., pl.* **las** the; **— que** the one that, she who
la *pers. pron. sing., pl.* las *direct object of* **ella** *or* **usted** her, it, you
labio lip
lado side
lámpara lamp; **— de aceite** oil lamp
las *pl. of* **la**
lata thin board; **hoja de —** tintype
latín *m.* Latin
le *pers. pron.* him, her, to him, to her, to you (*indirect object of* **él, ella, usted**); him, you (*direct object of* **él, usted**)
lección lesson
leer to read
lengua tongue, language; **hacerse —s de** to praise; sing the praises of
lento -a slow
Lepanto *gulf on the coast of Greece where the famous battle of Lepanto (1571) was won by the Spaniards over the Turks*
les *pl. of* **le**
linaje *m.* lineage, ancestry
literatura literature
lo, le *pers. pron. m. sing., pl.* **los** him, it, you
loco -a crazy, mad; **estar — con** to love dearly

locución phrase, locution
Loreto *town in Lower California*
los *pl. of* **el** the; **— que** those that, those who; **— de** those of
los *pers. pron. m. pl.* them, you
luces *pl. of* **luz**
luego then, afterwards; **— que** when, as soon as; **desde —** of course, at once
Luis *m.* Louis
lunes *m.* Monday
luz *f.* light; *pl.* **luces**

llamar to call, name; **—se** to be called, named
llegada arrival, coming
llegar to arrive, come, reach; **—se** to arrive
lleno -a full, filled
llevar to carry, take; wear; **— adelante** to carry out; **—se** to carry, take away

madre *f.* mother
magnífico -a wonderful, magnificent, great
mal *see* **malo**
malo -a bad, poor, wrong; ill, sick
mamá mamma, mother
mandar to order, command, send; **— a decir** to inform, send word, notify; **— llevar** to order to be taken
mando command; **a — de** in command of
manera manner, way; **de esta —** in this way; **¿de qué —?** how? in what way?; **a la — californiana** (after the) California style *or* manner; **a la — vizcaína** in Basque style; **de ninguna —** under no circumstances, not at all; **sobre —** very much
mano *f.* hand; **pedir la —** to propose (marriage)
mantilla mantilla, shawl
mañana morning; **por la —** in the morning
mañana *adv.* tomorrow
marca kind, mark, trade-mark
Marcela Marcella
marchar to march, leave, go; **—se** to leave, depart
María Mary
martes *m.* Tuesday
marzo March
más more, most; **— de** more than; **— bien** rather, best; **— o menos** more or less
materno -a maternal, on his mother's side
matrimonio matrimony, marriage
mayo May; **de mediados de —** (of) about the middle of May
mayor greater, larger; older; greatest, largest; oldest
mayormente especially
me *pers. pron.* me, to me; *refl. pron.* me, myself
mediados (días *or* **meses)** about the middle (of the month or year); **a — de mayo** towards the middle of May
mediano -a medium
medio medium, means; middle; **por — de** through, by means of
medio -a half, one half of
Méjico Mexico
mejicano -a Mexican
mejor better, best; **— que nadie** better than anyone
mejorar to improve, become better

menos less, least; **a — que** unless
mensajero messenger
menudo -a small, little; **a menudo** often, frequently
merecer to deserve, merit
mes *m.* month; **al —** after a month
mesa table
mi *pl.* **mis** *poss. a.* my
mí *pers. pron.* me, to me
miembro member
mientras (que) while, as long as
mil (one) thousand; **— quinientos** one thousand five hundred; **unos —** about one thousand; **— cortesías** many courteous words of thanks
milla mile
ministro minister, secretary; **— de Comercio** Secretary of Commerce
minué *m.* minuet (dance)
mío mía *poss. pron. m. and f. sing.* mine, my own, my
míos mías *pl. of* **mío mía**
mirada look, glance
mirar to look (at), see
misa mass; **— mayor** high mass
misión mission; **Misión de San Francisco de Dolores** Mission of St. Francis of Sorrows (*in San Francisco, founded in 1776*)
misionero missionary
misionero -a missionary
mismo -a same, very, self; **yo —** I myself; **él mismo** he himself
mitad (one) half
modelo model
moderno -a modern
modismo idiom, idiomatic expression
molestar to molest, trouble
mollete *m.* sweet roll
momento moment, instant; **a cada —** every minute, every little while
monja nun; **— terciaria** Tertiary Nun (*one belonging to the Third Order of St. Francis*)
Monterrey *m. city in California, and the old capital of Spanish California*
moreno -a dark, brunette
morir (ue) to die; **—se** to die
motivo motive, reason
mozo youth; **buen —** good looking, handsome
muchacha girl, young lady
muchacho boy, young man
mucho much
mucho -a much; *pl.* many
mucho *adv.* much, greatly
muerte *f.* death
muerto -a dead; killed; *p. p. of* **morir** to die
mujer *f.* woman; wife
mundo world; **todo el —** everybody; **Nuevo Mundo** New World
murieron *3rd pers. pl. past abs. of* **morir**
murió *3rd pers. sing. past abs. of* **morir**
música music; **— de guitarra** guitar music; **— de violín** violin music
músico musician
mutuo -a mutual
muy very, quite

nacer to be born
nación nation, country
nacional national
nada nothing, not anything; **— más** nothing else; **no . . . —** not . . . anything

nadie no one, nobody, not anyone; **sin que —** without anyone
navegación navigation, sailing; **al mes de —** after a month of sailing
necesario -a necessary
necesidad necessity, need; **haber —** to be necessary
negar (ie) to deny
negro -a black, dark
ni neither, nor; either, or
ningún *see* **ninguno -a**
ninguno -a no, not any, no one, nobody, none; **ninguna cosa** not anything, nothing
niña child, little girl
no no, not
noble noble, beautiful
nobleza nobility, nobleness
noche *f.* night, evening; **de —** at night
nombrar to name, appoint
nombre *m.* name
norteño -a northern, northerly
nos us, to us
nosotros -as we; (*after a preposition*) us
notable notable, remarkable
notablemente notably
noticia notice, news; **—s** information, news; **dar —** to inform, give information
novela novel
novelesco -a novelistic, which sounds like fiction
noveno -a ninth, nine
novia sweetheart, betrothed, bride
noviazgo engagement
novicia novice
noviembre *m.* November
novio sweetheart, betrothed, bridegroom; **—s** lovers; **—s en regla** duly betrothed lovers
nuestro -a our, ours
nueve nine
nuevo -a new; **de nuevo** again, anew; **Nueva España** New Spain (Mexico)
Nuevo Arcángel New Archangel, *Russian seaport in Alaska*

o or
objeto object
obligado -a formal, necessary, obligatory
obstáculo obstacle
obtener to obtain, get
ocasión occasion; **valerse de la —** to take advantage of the occasion
occidental western
octavo -a eighth
ocupar to occupy, hold, have
ocurrir to occur, happen, take place
ochenta eighty
ocho eight
ofender to offend, give offense
oficial *m.* official; officer
oficial official
oficialmente officially
oír to hear
oído ear
ojo eye
Okhotsk *seaport in eastern Siberia*
olvidar to forget
once eleven
orden *f.* order, command
ordinario -a ordinary, usual
organizar to organize
oro gold
otro -a other, another; other one, another one
oyeron *3rd pers. pl. past abs. of* **oír**

Pablo Paul
padre *m.* father; priest; **—s** parents; **—s misioneros** Missionary Fathers
país *m.* country, nation
paisaje *m.* landscape, view
palabra word; **unas cuantas —s** a few words
palidecer to pale, become pale, turn pale
Palou Francisco Palou (*one of the Franciscan Missionaries who founded San Francisco in 1776*)
Papa *m.* Pope
papá *m.* papa, father
para for, to, in order to; about, towards, by; **— que** so that, in order that; **¿— qué?** what for? for what purpose? why?
paraíso paradise, heaven
parecer to appear, seem; **—se** to resemble
parecido -a similar, like, alike
pareja pair
parte *f.* part, side; **de su —** in turn, on his behalf, on his *or* her part
particular special, private
particularmente especially
partida departure, leaving
partir to leave, depart, sail
pasa raisin
pasar to pass, happen, occur; spend
pasearse to take a walk, drive *or* ride
paseíto short walk, drive, *or* ride; **dar un —** to take a short walk, drive *or* ride
paseo walk, drive, ride; **dar un —** to take a walk, drive *or* ride; **dar un — a caballo** to take a ride on horseback
pastel *m.* pie, cake
patio patio, courtyard
patria native land
paz *f.* peace
pecado sin
pedir (i) to ask, demand, beg; **— la mano** to propose *or* ask for one's hand in marriage
Pedro Peter
peina high comb
peligroso -a dangerous
pensar (ie) to think; **— en** to think of
pequeño -a small, little
perder (ie) to lose; **—se** to be lost
perfección perfection; **a la —** perfectly, to perfection
perfectamente perfectly
perfecto -a perfect
perla pearl
permanecer to remain, stay
permitir to permit, allow
pero but
persona person
personal personal
pertenecer to belong
pesar *m.* grief, sorrow; **a — de** in spite of
pescado fish
pidió *3rd pers. sing. past abs. of* **pedir**
pie *m.* foot; **de —** standing
plan *m.* plan, project
plata silver
pleno -a full, complete
población population; settlement, town
pobre poor
poco little, something; **un — de** a little
poco -a little, small, few, some
poco *adv.* little, a little, somewhat

poder (ue) to be able, can
poder *m.* power, ability
podría *3rd pers. sing. cond. of* **poder**
podrían *3rd pers. pl. cond. of* **poder**
poema *m.* poem
poeta *m.* poet
político -a political
pollito youth, young man
poner to put, place; to make; **—se** to put on; **—se triste** to become sad; **¿se puso triste Conchita?** did Conchita become sad?
popular popular
popularísimo -a very popular, most popular
por by, for, through; as, on, on account of; **— eso** on that account, for that reason; **— consiguiente** therefore; **¿— qué?** why? for what reason?
porfiar to insist, argue
porque because, since, for
portal *m.* porch; doorway
porte *m.* bearing, manner; demeanor
precisamente precisely
preferir (ie) to prefer
pregunta question; **hacer —s** to ask questions
preguntar to ask, inquire
premio reward
preparar to prepare, get ready
preparativo preparation
presencia presence; mien, appearance
presentación presentation, introduction
presentar to present, to introduce
presidio presidio, military station
pretender to pretend, feign
pretendiente *m.* suitor
pretensión pretension, desire, hope
primer *see* **primero -a**
primero -a first
principal principal
principio beginning; **al —** in the beginning, at first; **a —s de** in the beginning of, towards the beginning of
probar (ue) to prove, try
problema *m.* problem
prometer to promise
prometida betrothed, fiancée
prometido betrothed, fiancé
pronto soon, at once; **cuanto más — . . . más —** the sooner . . . the sooner
pronunciar to pronounce, utter
proveer to provide, furnish
proveído -a furnished, provided
provincia province
provisión provision, food
público -a public
pudiera, pudieras, pudiera, pudiéramos, pudierais, pudieran *past subjunctive of* **poder**
puerto port
puesto post, position
purificar to purify
puse, pusiste, puso, pusimos, pusisteis, pusieron *past abs. of* **poner**

que *conj.* (= **porque**) because, since, for
que *conj.* that
que *rel. pron.* who, which, whom, that, what; **lo —** that which, what
que as, than, when
¡qué! what! what a!
¿qué? what?

quedar to remain, stay; **—se** to remain, stay
querer (ie) to love, like; to wish, desire, want; **— decir** to mean, to signify; **—se** to love each other
querido -a dear, beloved
quien *rel. pron.* who, whom, which, the one who, the one that
¿quién? who? whom? which?
quienes ¿quiénes? *pl. of* **quien ¿quién?**
quiera, quieras, quiera, queramos, queráis, quieran *pres. subj. of* **querer; como quiera que** since
quince fifteen
quinientos -as five hundred; **unos quinientos** some five hundred
quinto -a fifth
quise, quisiste, quiso, quisimos, quisisteis, quisieron *past abs. of* querer

radio *f.* radio
rango rank, position
razón *f.* reason, cause; **tener —** to be right
realizar to realize, obtain
recepción reception
recibir to receive, obtain
recoger to gather, collect
rechazar to reject, refuse
regalar to regale, give presents, give as a gift
regalo present, gift; **hacer —s** to give presents
regla rule
reír to laugh; **—se** to laugh
relación relation
relieve *m.* relief
religioso -a religious
repetir (i) to repeat
representar to represent
residencia residence, home
resolución resolution, decision
respeto respect
responder to reply, answer
respuesta answer, reply
retirar to retire; **—se** to retire, depart, leave
retratito little picture, small photograph
retrato picture, photograph
rezar to pray
riéndose *pres. p. of* **reírse**
rincón *m.* corner, district
ritmo rhythm
rodear to surround, be placed around
rogar (ue) to ask, beg
rojo -a red
Roma Rome
romántico -a romantic
ruborizarse to blush
rumbo direction, way; **con — a** bound for, on its way to
rumor *m.* rumor, report
Rusia Russia
ruso -a *a. and s.* Russian

saber to know, know how
saborear to enjoy, relish
sacar to take out, take, do; **— a bailar** to dance with, ask one to dance
sala hall, room
saldría, saldrías, saldría, saldríamos, saldríais, saldrían *cond. of* **salir**
salir to leave, depart; **—se** to leave, depart
saludo greeting, salute
San Francisco *city and seaport of California*

San José *city in California, near San Francisco*
San Petersburgo St. Petersburg (*Russian city, now called Leningrad*)
Santa Bárbara *city in central California, on the coast*
Santo Domingo: Orden de — Order of St. Dominic
sé, sabes, sabe, sabemos, sabéis, saben *pres. ind. of* **saber**
se *refl. pron.* himself, herself, itself, themselves, each other, one another
se *pers. pron.* = **le, les** (*when before a pronoun of the 3rd person*)
sea, seas, sea, seamos, seáis, sean *pres. subj. of* **ser**; **sea como fuere** be that as it may, however that may be; **o sea** or rather
secreto secret; **guardar —s** to keep secrets
secreto -a secret; **guardar secreta una cosa** to keep a thing secret; **guardar secreto su amor** to keep his love secret
seda silk
seguida: en — at once, forthwith
seguir (i) to follow, continue
según according to, as
segundo -a second
seguramente surely, certainly
seguro -a sure, certain; **de seguro** certainly, to be sure, of course
seis six; **a las — de la tarde** at six o'clock in the afternoon
semana week; **a la —** in a week, a week after
sencillo -a simple, plain
sentado -a seated, sitting
señor *m.* sir, lord; gentleman
señora madam, lady, woman; wife
señorita young lady, madam, Miss
septiembre *m.* September
séptimo -a seventh
ser *m.* being, person
ser to be
sereno -a serene, clear
serio -a serious, clear
servir (i) to serve, give; **—se de** to make use of
sesenta sixty
sexto -a sixth
si if, whether, indeed
sí yes, indeed
Siberia Siberia
siempre always, ever
siete seven
siglo century
siguiente following, next
siguió *3rd pers. sing., past abs. of* **seguir**
silencio silence
simpático -a congenial, nice, charming
simpatiquísimo -a most charming, very pleasing and attractive
sin without; **— embargo** nevertheless
sinceridad sincerity
sino but, except, without; **— que** but
siquiera at least, even; **ni —** not even
sitio place, post, position
Sitka *city and port of Alaska*
soberano -a sovereign
sobre on, upon, over, above; **— todo** above all, especially
sobrina niece
social social

solamente only
soldado soldier
solemnizar to solemnize, legalize
solo -a alone, single, sole; **a solas** alone
sólo *adv.* only
son *m.* sound, playing; **al — de** while playing
sonreír to smile
sonrisa smile
soñado -a dreamed, imagined, fantastic
soñar (ue) to dream
sor sister
Sor María Dominga Sister Mary Dominica
sorprender to surprise; **—se** to be surprised
sortija ring; **— de oro** gold ring
su *pl.* **sus** his, her, your, its
subir to climb, ascend, go up
sueño dream; sleep
sufrir to suffer
suntuosamente sumptuously; lavishly
suntuoso -a sumptuous, magnificent
supe, supiste, supo, supimos, supisteis, supieron *past abs. of* **saber**; **cuando supo** when he discovered
sureste *m.* southeast
suyo -a *poss. pron.* his, hers, theirs, yours, its

tal such, such a; so, as; **— vez** perhaps; **un —** a certain
también also, too
tampoco not either, neither; **no . . . —** not . . . either
tan so, such a
tanto -a so much, so many, as much, as many; **tanto como** as much as; **otras tantas (palabras)** as many
tanto *adv.* so much
tardar to delay, be long; **—se** to delay, be long
tarde *f.* afternoon, evening; **por la —** in the afternoon; **más —** later; **todas las tardes** every afternoon
tarde *adv.* late
te *pers. pron.* thee, to thee, you, to you
teléfono telephone
temeroso -a fearing, fearful, suspecting
temor *m.* fear
temprano early
tener to have, to hold; **— que** to have to, must; **— miedo** to be afraid; **— la tez morena** to have dark complexion; **— razón** to be right; **no — razón** to be wrong; **tiene quince años de edad** she is fifteen years old
Tercera Orden de San Francisco Third Order of St. Francis
tercero -a third
terciario -a Tertiary (*of the Third Order of St. Francis*)
terminar to end, finish
territorio territory
tez *f.* complexion, color
tiempo time, weather; **hacía mucho —** it was a long time (that)
tierra land, earth
tinto -a colored, red; **vino tinto** red wine
tío uncle
tocar to touch, to feel, to play (an instrument); **dejar de —** to stop playing

todavía yet, still, already; **— no** not yet
todo all, everything; **sobre —** above all
todo -a all, entire, whole; **todos los días** every day; **todo el mundo** everybody; **todo lo que** everything that, all
tomar to take, receive
tontería nonsense, stupidity
torcer (ue) to twist, bend; **dar el brazo a —** to give in, give up, be outdone
traer to bring, carry, wear
traguito drink, sip; **— de vino** sip *or* drink of wine
traje *m.* dress, attire, gown
traje, trajiste, trajo, trajimos, trajisteis, trajeron *past abs. of* **traer**
tratar to treat; **— de** to try, attempt; **—se de** to be a question of, concern
través a — de across
trece thirteen
treinta thirty; **hacía — años** it had been thirty years, thirty years had passed
tres three; **a las —** at three o'clock
trescientos -as three hundred
trigo wheat
triste sad, dejected
tú thou, you
tu *pl.* **tus** thy, your
turco -a *a. and s.* Turkish, Turk
turno turn; **en —** in turns; taking turns
tutor *m.* tutor, teacher
tuve, tuviste, tuvo, tuvimos, tuvisteis, tuvieron *past abs. of* **tener**
tuyo -a *poss. pron. and a.* thine, yours; thy, your

último -a last, farthest
un una *indef. art.* a, an; **unos unas** some, a few, a pair
único -a only, sole, unique
unidad *f.* unity
unir to unite, join
uno una one; a person
unos unas *pl. of* **un uno** *and* **una,** some, a few, about
usar to use, employ
usual usual, ordinary
utilidad utility, use

vaca cow; **—s** cattle
valer to be worth, be of value; **— la pena** to be worth while; **—se de la ocasión** to take advantage of the occasion
valiente brave, valiant
valioso -a worthy, valuable
valor *m.* valor, courage
vals *m.* waltz
Vallejo *town in California, near San Francisco, and name famous in California history*
varios -as various, several
vas *2nd pers. sing. pres. ind. of* **ir**
vasito glass, small glass
vaso glass
vaya, vayas, vaya, vayamos, vayáis, vayan *pres. subj. of* **ir** to go; **no te vayas** don't go
veces *see* **vez**
veinte twenty
veinticuatro twenty-four
veintisiete twenty-seven
vela candle; sail; **darse a la —** to sail, set sail
venir (ie) to come, arrive
ver to see, look; **se veían ella y el conde** she and the Count saw each other
verdad truth; **es —** it is true

verdadero -a true, real
verde green
verso verse, strophe
vestir (i) to dress, wear, have on
vez *f.* time; **cada —** every time; **en — de** instead of, in place of; **otra —** again, anew; **tal —** perhaps; **una —** once; **de — en cuando** from time to time; **a veces** at times; **dos veces** twice
vía way, by way of
viajar to travel, march
viaje *m.* journey, trip; **— de vuelta** return trip or voyage
viajero traveller
Vicente *m.* Vincent
vida life
viejecito old man, old gentleman
viejo old man
viejo -a old
viendo *pres. p. of* **ver**
vieron *3rd pers. pl. past abs. of* **ver**
viento wind
vigor *m.* vigor, life; **en pleno —** in full vigor
vine, viniste, vino, vinimos, vinisteis, vinieron *past abs. of* **venir**
vino wine; **— tinto** red wine
vió *3rd pers. sing. past abs. of* **ver**
violín *m.* violin
Virgen *f.* Virgin, Virgin Mary
virtud virtue
virrey *m.* viceroy
visitar to visit, call on
vistió *3rd pers. sing. past abs. of* **vestir**
vistoso -a showy, beautiful
vivir to live, dwell
vivo -a live, alive, lively
vizcaíno -a Biscayan; **a la vizcaína** Biscayan style
volver (ue) to turn, return; **— a** to . . . again
voz *f.* voice; **en — baja** in a low voice, quietly
vuelo flight; **faldas de gran —** very wide skirts
vuelta return; **viaje de —** return voyage
vuelve *3rd pers. sing. pres. ind. of* **volver**

y and
ya already, now; **— no** no longer; **— . . . —** both . . . and
yendo *pres. p. of* **ir**
yo I

zapatilla slipper, shoe
zar *m.* czar (*of Russia*)

NÚMEROS CARDINALES—CARDINAL NUMERALS

11 once
19 diecinueve
21 veintiuno
23 veintitrés
24 veinticuatro
26 veintiséis
30 treinta
134 ciento treinta y cuatro
1492 mil cuatrocientos noventa y dos
1571 mil quinientos setenta y uno
1776 mil setecientos setenta y seis
1787 mil setecientos ochenta y siete
1791 mil setecientos noventa y uno
1796 mil setecientos noventa y seis
1806 mil ochocientos seis
1807 mil ochocientos siete
1814 mil ochocientos catorce
1815 mil ochocientos quince
1818 mil ochocientos dieciocho
1821 mil ochocientos veintiuno
1822 mil ochocientos veintidós
1825 mil ochocientos veinticinco
1828 mil ochocientos veintiocho
1829 mil ochocientos veintinueve
1830 mil ochocientos treinta
1836 mil ochocientos treinta y seis
1842 mil ochocientos cuarenta y dos
1851 mil ochocientos cincuenta y uno
1854 mil ochocientos cincuenta y cuatro
1857 mil ochocientos cincuenta y siete